Dominique Fortier
Karine Pouliot

À vos marques !

Grammaire 3ᵉ secondaire

NOTIONS DE BASE ET EXERCICES

CEC
LES ÉDITIONS CEC INC.

8101, boul. Métropolitain Est, Anjou, Qc, Canada H1J 1J9
Téléphone : (514) 351-6010 Télécopieur : (514) 351-3534

Directeur de l'édition
Patrick Lutzy

Directrice de la production
Danielle Latendresse

Directrice de la coordination
Isabel Rusin

Chargée de projet et réviseure linguistique
Ginette Duphily

Correctrices d'épreuves
Ginette Duphily
Jacinthe Caron

**Conception de la couverture
et conception graphique**

LE GROUPE
FLEXIDÉE

**Pour ses commentaires et ses
suggestions au cours de la rédaction
de ce cahier, l'Éditeur et les auteures
tiennent à remercier Francine Cloutier.**

Dans cet ouvrage, la féminisation des titres de fonctions et des textes s'appuie sur
des règles d'écriture proposées par l'Office de la langue française dans le guide
Au féminin, Les publications du Québec, 1991.

© 2002, Les Éditions CEC inc.
8101, boul. Métropolitain Est
Anjou (Québec) H1J 1J9

Dépôt légal : 2e trimestre 2002
Bibliothèque nationale du Québec
Bibliothèque nationale du Canada

ISBN 2-7617-1713-9

Imprimé au Canada
1   2   3   4   5   06   05   04   03   02

Table des matières

À vos marques ! Prêts ? Partez ! IV

L'organisation de votre programme d'entraînement grammatical V

Symboles, abréviations et pictogrammes utilisés VII

UNITÉ 1 Parcours diagnostique et rappel de notions de base 1

UNITÉ 2 Le groupe du verbe 15

UNITÉ 3 La phrase infinitive 32

UNITÉ 4 La subordonnée circonstancielle 46

UNITÉ 5 La subordonnée relative 68

UNITÉ 6 La phrase emphatique et la phrase à présentatif 85

UNITÉ 7 Le discours rapporté 99

UNITÉ 8 La conjugaison 117

UNITÉ 9 L'accord du verbe 138

UNITÉ 10 L'accord du participe passé 151

Fiches synthèses

1 L'accord de l'adjectif et son orthographe 167

2 L'orthographe du nom 172

3 L'orthographe de *possible* 176

4 L'orthographe de *tel* 178

5 L'orthographe de *même* 180

6 L'orthographe de *quelque* 182

7 L'orthographe de *tout* 184

8 Le choix de la préposition 186

9 L'emploi du mode dans les subordonnées 188

10 L'emploi de la virgule et du deux-points 192

Glossaire 197

Vers une grille de révision personnalisée 209

Ma grille de révision 210

À vos marques ! Prêts ? Partez !

Vous voilà maintenant sur la ligne de départ d'une nouvelle année scolaire, laquelle sera ponctuée d'un examen d'écriture du ministère de l'Éducation.

Au cours de cette année, de même que dans les années à venir, vous aurez à produire des textes à partir desquels votre maîtrise du français écrit sera évaluée. Or, vous devez savoir que, pour rédiger un texte, quel qu'il soit, certaines connaissances de base en grammaire de la phrase, en orthographe et en ponctuation doivent être maîtrisées. Ce sont précisément ces connaissances que *À vos marques !* vous propose de revoir et d'acquérir pour vous aider non seulement à améliorer votre compétence à écrire des textes narratifs et explicatifs, mais également à résoudre une fois pour toutes plusieurs difficultés courantes du français écrit.

Nous espérons qu'à la ligne d'arrivée, après avoir réalisé les exercices de ce cahier, vous aurez pris conscience des moyens dont vous disposez pour écrire correctement et pour réviser vos textes, et que vous aurez envie de manier la langue de façon à bien traduire vos intentions de communication.

Bonne année scolaire

Dominique et Karine

L'unité 1

Parcours diagnostique

Au programme de l'unité 1 seulement, ce parcours vous propose des exercices vous permettant de vérifier votre connaissance des notions de base en grammaire de la phrase et en orthographe qui sont préalables aux apprentissages prévus pour la troisième année du secondaire.

Rappel de notions de base

Ce rappel est constitué d'une **synthèse des connaissances** (*voir la description ci-dessous*) sur la phrase, les groupes de mots et les classes de mots.

Les unités d'apprentissage 2 à 10

⊞ Synthèse des connaissances

Ce bloc théorique contient des descriptions, des définitions, des règles de grammaire illustrées d'exemples, et se termine par un tableau d'erreurs fréquentes en lien avec les notions à l'étude dans chaque unité. Vous pouvez le consulter en tout temps dans le cadre des exercices du cahier ainsi que lorsque vous écrivez ou révisez n'importe quel texte.

À certaines occasions, on vous suggère de consulter un ouvrage de référence (une grammaire, un dictionnaire). Faites-le au besoin et pensez à noter les pages consultées dans l'espace donné. Cette référence pourrait vous servir à un autre moment.

MON OUVRAGE
DE RÉFÉRENCE

TITRE :

MOTS CLÉS :

PAGES :

⊞ Séance d'échauffement

Au programme, des exercices qui vous permettent d'échauffer vos muscles grammaticaux en faisant un retour sur les différentes stratégies et connaissances qui sont à maîtriser avant de vous en approprier de nouvelles.

🖿 Séance d'entraînement

Au programme, des exercices qui vous donnent l'occasion de consolider vos apprentissages, de vous approprier de nouvelles connaissances en grammaire par la pratique, d'enrichir et de mettre au point vos stratégies grammaticales, de prendre conscience des erreurs les plus fréquentes et de développer des stratégies pour éviter ces erreurs ou les corriger. Cette séance comprend des exercices synthèses au besoin.

🖿 Qualification pour l'épreuve finale

Dans cette dernière rubrique, vous trouverez une activité de révision de texte ainsi qu'un choix d'activités d'écriture selon un **parcours narratif** ou un **parcours explicatif**. Ces activités vous aideront à vérifier l'efficacité des stratégies développées en cours d'apprentissage et à tester des **pistes de révision** qui serviront à l'élaboration d'une grille de révision personnalisée.

Les fiches synthèses 1 à 10

Chaque fiche comprend une synthèse des connaissances liée à la notion à l'étude ainsi que de courts exercices d'entraînement ayant pour but de régler un problème syntaxique, orthographique ou de ponctuation.

Le glossaire

Le glossaire contient des définitions de notions en grammaire illustrées d'exemples et classées en ordre alphabétique. Vous le consultez au besoin pour vous rafraîchir la mémoire à n'importe quel moment ou lorsque vous voyez dans votre cahier un mot souligné d'un trait mauve (ex. : complément indirect du verbe). Ce petit « dictionnaire » est bien pratique, surtout quand vous n'avez pas d'ouvrage de référence sous la main.

Ma grille de révision

Cette grille de révision de la grammaire de la phrase, de l'orthographe et de la ponctuation est à compléter de manière à tenir compte des forces et des faiblesses de chacun et de chacune d'entre vous. Elle peut être mise à profit lors de l'écriture de tout texte explicatif ou narratif notamment. Vous pouvez y consigner les pages de vos ouvrages de référence où trouver rapidement certains renseignements essentiels.

Symboles, abréviations et pictogrammes utilisés

CLASSES DE MOTS	
Adj	adjectif
Adv	adverbe
Conj	conjonction
Dét	déterminant
N	nom
Prép	préposition
Pron	pronom
V	verbe

GROUPES CONSTITUANTS DE LA PHRASE	
Gcompl. P	groupe complément de phrase
GNs	groupe du nom sujet
GV	groupe du verbe

FONCTIONS SYNTAXIQUES	
attr. du s	attribut du sujet
compl. de l'Adj	complément de l'adjectif
compl. de P	complément de phrase
compl. dir. du V	complément direct du verbe
compl. du N	complément du nom
compl. du Pron	complément du pronom
compl. indir. du V	complément indirect du verbe
coord.	coordonnant
modif. de l'Adj	modificateur de l'adjectif
modif. de l'Adv	modificateur de l'adverbe
modif. du V	modificateur du verbe
s	sujet
subord.	subordonnant

GROUPES DE MOTS	
GAdj	groupe de l'adjectif
GAdv	groupe de l'adverbe
GN	groupe du nom
GPrép	groupe prépositionnel
GV	groupe du verbe
GVinf	groupe du verbe à l'infinitif
GVpart	groupe du verbe au participe

	AUTRES
Aux.	auxiliaire
Ex.	exemple(s)
F	féminin
M	masculin
P	pluriel
Part. passé	participe passé
Part. prés.	participe présent
Pron. rel.	pronom relatif
QQCH.	quelque chose
QQN	quelqu'un
QQPART	quelque part
S	singulier
Sub.	subordonnée
Sub. circ.	subordonnée circonstancielle
Sub. complét.	subordonnée complétive
Sub. inf.	subordonnée infinitive
Sub. rel.	subordonnée relative
→	introduit une phrase qui a subi une ou plusieurs manipulations
ø	absence ou effacement d'un élément
ʌ	marque l'endroit où s'insère un élément
1S	1re personne du singulier
2S	2e personne du singulier
3S	3e personne du singulier
1P	1re personne du pluriel
2P	2e personne du pluriel
3P	3e personne du pluriel
O	orthographe
P	ponctuation
mot(s)	mot(s) défini(s) dans le glossaire

Symboles, abréviations et pictogrammes utilisés

Parcours diagnostique et rappel de notions de base

PARCOURS DIAGNOSTIQUE

1 Dans le tableau ci-après, cochez les caractéristiques qui s'appliquent généralement aux trois groupes constituants de la phrase. Aidez-vous de la phrase exemple suivante.

GNs   GV   Gcompl. P

Ex. : *La majorité des contes* | *finissent bien* | *parce que leur fonction première est de divertir* .

☰ MON OUVRAGE
DE RÉFÉRENCE

TITRE : _____

_____

MOTS CLÉS : *manipulations, PHRASE DE BASE, groupes constituants.*

PAGES : _____

CARACTÉRISTIQUES	GNs	GV	(Gcompl. P)
L'élément peut être effacé.			
L'élément peut être déplacé.			
L'élément peut être remplacé par un pronom.			
L'élément peut être employé après *et cela…*			

2 **a)** Séparez chacune des phrases suivantes en ses trois groupes constituants. Pour ce faire :

- encerclez le GNs ;
- mettez entre parenthèses le Gcompl. P, s'il y en a un ;
- surlignez le GV et soulignez le verbe.

1 L'ingénieuse Schéhérazade terminait son histoire non achevée au lever du soleil .

2 Elle choisissait soigneusement le moment où elle terminait son histoire .

3 Avant qu'elle n'ait terminé son histoire , la jeune femme avait piqué la curiosité du roi Schahriar .

b) Relevez les numéros des phrases précédentes qui comprennent une deuxième phrase syntaxique, c'est-à-dire un deuxième regroupement GNs + GV + (Gcompl. P). _____

3 **a)** Mettez entre crochets les deux phrases syntaxiques contenues dans chaque phrase ci-après.

Ex. : ¹[²[*Bien qu'on lui eût donné, au baptême, le prénom de Maxime*]², *tout le monde au village l'appelait* Macloune.]¹

(Honoré Beaugrand, *La chasse-galerie*)

≡ MON OUVRAGE
DE RÉFÉRENCE

TITRE : _____

MOTS CLÉS : *subordination, coordination, juxtaposition.*

PAGES : _____

AU BESOIN, suivez les étapes suivantes pour repérer les phrases syntaxiques.

☐ Soulignez les verbes conjugués.

☐ Encerclez les GNs.

☐ Mettez entre parenthèses les Gcompl. P.

☐ Surlignez les GV.

1 Le roi Schahriar , que Schéhérazade a instruit avec ses histoires , s'est montré très reconnaissant envers la conteuse . (lettre : _____)

2 Certaines histoires ont une fin triste ; d'autres se terminent très bien . (lettre : _____)

3 Schahriar a avoué à Schéhérazade que ses histoires l'avaient beaucoup changé . (lettre : _____)

4 Doniazade , la petite sœur de Schéhérazade , a mesuré le bonheur du roi , puis , soulagée , elle s'est jetée dans les bras de sa sœur . (lettre : _____)

5 Lorsque le père de Schéhérazade a appris la bonne nouvelle , il s'est évanoui de joie . (lettre : _____)

b) Donnez la lettre (A, B ou C) qui illustre la construction de chacune des cinq phrases graphiques en **a)**.

A : [phrase [phrase subordonnée] matrice]

B : [phrase coordonnée] coordonnant [phrase coordonnée]

C : [phrase juxtaposée] signe de ponctuation [phrase juxtaposée]

c) Parmi les phrases graphiques en **a)**, laquelle contient :

- une subordonnée circonstancielle ? La phrase numéro _____

- une subordonnée relative ? La phrase numéro _____

- une subordonnée complétive ? La phrase numéro _____

4 Transformez la phrase suivante de façon qu'elle corresponde à la forme ou au type indiqué ci-après.

▌ *Nous faisons des recherches pour déterminer la provenance exacte des contes des* Mille et une nuits.

a) Phrase de type interrogatif à laquelle on peut répondre par oui ou par non.

_____
_____
_____

b) Phrase de type interrogatif interrogeant sur le <u>complément direct du verbe</u> (*des recherches*).

_____
_____
_____

c) Phrase de type impératif.

_____
_____
_____

d) Phrase de forme négative.

_____
_____
_____

e) Phrase de forme passive.

_____
_____
_____

▦ MON OUVRAGE
DE RÉFÉRENCE

TITRE : _____
_____

MOTS CLÉS : *types de phrases, formes de phrases.*

PAGES : _____

5 Dans le tableau de la page suivante, cochez le type et les formes qui s'appliquent à chaque phrase syntaxique entre crochets.

▌**1** [a][Je ne savais pas [b][que les contes des *Mille et une nuits* avaient été adaptés par des auteurs de littérature jeunesse][b].][a]

▌**2** [a][Saviez-vous [b][que Aladin et Ali Baba faisaient partie des contes des *Mille et une nuits*][b] ?][a]

▌**3** [a][Ne me demandez pas [b][combien de versions différentes des contes des *Mille et une nuits* ont été écrites][b].][a]

PHRASES	TYPE DÉCLARATIF	TYPE INTERROGATIF	TYPE IMPÉRATIF	TYPE EXCLAMATIF	FORME NÉGATIVE	FORME PASSIVE
1 a Phrase matrice						
1 b Phrase subordonnée						
2 a Phrase matrice						
2 b Phrase subordonnée						
3 a Phrase matrice						
3 b Phrase subordonnée						

6 **a)** Dans les phrases suivantes, encerclez les mots soulignés qui sont des <u>coordonnants</u>.

b) Soulignez d'un deuxième trait les mots qui sont des <u>subordonnants</u>.

≡ MON OUVRAGE DE RÉFÉRENCE

TITRE: _____

MOTS CLÉS: *coordonnant, subordonnant, préposition, groupe de mots.*

PAGES: _____

1 <u>Autour du</u> VIIIe siècle, les conteurs arabes auraient modifié et adapté les contes des *Mille et une nuits* <u>à</u> leur langue <u>et</u> <u>à</u> leur culture.

2 Les personnages <u>qui</u> sont présents <u>dans</u> les *Mille et une nuits* vivent généralement au Proche-Orient et au Moyen-Orient, <u>mais</u> ils voyagent parfois <u>jusqu'en</u> Inde.

3 <u>Pour que</u> l'on puisse connaître <u>avec</u> certitude l'origine <u>de</u> tous ces contes, il faudrait avoir <u>en</u> main tous les manuscrits, <u>cependant</u> ils n'ont parfois été retrouvés que partiellement.

c) Encadrez les groupes de mots qui commencent par les <u>prépositions</u> soulignées.

d) Comment nomme-t-on les groupes de mots encadrés en **c)** ?

---

7 **a)** Dans les phrases suivantes, encadrez les groupes de mots dont le noyau est en gras.

b) Indiquez au-dessus des mots encadrés en **a)** de quel groupe de mots il s'agit.

> ≡ MON OUVRAGE DE RÉFÉRENCE
>
> TITRE :_____
> _____
>
> MOTS CLÉS : *classes de mots, groupes de mots.*
>
> PAGES :_____

1 Dans les contes des *Mille et une nuits,* **on** dénote

la **cohabitation** des Musulmans , des Chrétiens et des Juifs .

2 Les **éléments** d'origine indienne des contes remontent très **loin** :

on **croit** qu'ils viennent du IIIe siècle .

3 De **talentueux artistes** comme Marc Chagall **ont illustré** avec brio

des contes des *Mille et une nuits* .

4 Le **fait** de retarder la mort en contant des histoires ainsi que

les **métamorphoses** en animaux , que l'on retrouve dans certains contes

des *Mille et une nuits* , seraient des éléments typiquement **indiens** .

5 Les éléments magiques **prennent** une **place** très **importante** dans la version

pour enfants des *Mille et une nuits.*

8 **a)** Lisez les phrases de la page suivante et classez les mots en gras dans la première colonne du tableau ci-après selon la <u>classe de mots</u> ou la catégorie plus précise à laquelle ils appartiennent.

b) Cochez la case appropriée pour indiquer :

> ≡ MON OUVRAGE DE RÉFÉRENCE
>
> TITRE :_____
> _____
>
> MOTS CLÉS : *classe de mots, accord, donneur et receveur d'accord*
>
> PAGES :_____

- si, oui ou non, le mot en gras est un <u>receveur d'accord</u> ;
- comment ce mot varie, si celui-ci est un receveur d'accord.

La magie est l'art de produire, par **1 un** **2 procédé** **3 secret**, des phénomènes **4 vraiment** impossibles à **5 expliquer** ou, du moins, qui **6 semblent** **7 inexplicables**. Dans leur code de déontologie, les magiciens professionnels **8 ont** **9 inséré** une clause **10 précisant** qu'ils doivent s'engager à respecter le **11 secret** professionnel et à ne pas divulguer les détails de leurs **12 propres** numéros ou de ceux de leurs collègues.

CLASSE DE MOTS OU CATÉGORIE	RECEVEUR D'ACCORD		VARIATION	
	Oui	Non	Genre (M ou F) et nombre (S ou P)	Personne (1, 2 ou 3) et nombre (S ou P)
Déterminant _____				
Adjectif _____ _____ _____				
Verbe à l'infinitif _____				
Verbe conjugué _____				
Auxiliaire _____				
Participe passé _____				
Participe présent _____				
Adverbe _____				

c) À quelle classe de mots appartiennent les deux mots en gras que vous n'avez pas classés dans le tableau? _____ .

9 Dans les phrases suivantes, reliez les mots en gras à leur(s) <u>donneur(s) d'accord</u>, s'ils en ont, et accordez-les, s'il y a lieu.

Joseph et Cassandre sont **1 allé**_____ à **2 leur**_____ **3 première**_____ leçon de magie. Dans le cadre de ce **4 premier**_____ cours, ils **5 apprendr**_____ à faire des tours de magie avec de **6 petit**_____ objets comme des cartes ou de la monnaie. Par la suite, ils pourront les **7 exécuter**_____ à **8 proximité**_____ des spectateurs **9 attentif**_____, parfois même dans les mains des spectateurs qui seront sans doute **10 étonné**_____.

10 Séparez le radical et la terminaison des verbes à l'aide d'une barre oblique et indiquez le nombre de radicaux différents dans les parenthèses.

Ex.: *venir: je vien /s, nous ven /ons, ils vien /nent, elles viendr /ont* (4)

> **=** MON OUVRAGE
> DE RÉFÉRENCE
>
> TITRE: _____
> _____
>
> **MOTS CLÉS:** *conjugaison, verbe.*
>
> **PAGES:** _____

1 partir: je pars, nous partons, ils partaient, elles partiront (____)

2 ouvrir: j'ouvre, nous ouvrons, ils ouvraient, elles ouvriront (____)

3 courir: je cours, nous courons, ils couraient, elles courront (____)

11 Complétez les trois énoncés ci-dessous de façon à justifier l'orthographe des homophones en italique de la phrase suivante.

Ce matin, je suis *passé* par le chemin étrange où vous *passez* chaque jour et j'espère y *passer* encore ce soir pour y rencontrer le mystérieux animal dont vous m'avez tant parlé.

- Le mot *passé* se termine par -*é* puisqu'il s'agit du _____ d'un verbe en -*er*, qu'on peut remplacer par un autre _____ comme *fini*.

- Le mot *passez* se termine par -*ez* puisqu'il est conjugué à la _____ personne du _____.

- Le mot *passer* se termine par -*er* puisqu'il s'agit d'un verbe à _____ qu'on peut remplacer par un autre verbe à _____ comme *courir*.

⊞ Qualification pour l'épreuve finale

Choisissez un des parcours suivants et écrivez votre texte sur une feuille mobile. Consultez le tableau d'erreurs fréquentes aux pages 13 et 14 et assurez-vous que ces erreurs ne figurent pas dans votre texte.

Parcours narratif

Écrivez une courte situation initiale dans laquelle vous présentez un héros et sa mission. Le héros doit être un homme ou une femme à qui on donne une baguette magique.

Parcours explicatif

Écrivez un court texte dans lequel vous expliquez pourquoi un magicien ou une magicienne ne devrait pas révéler ses trucs.

RAPPEL DE NOTIONS DE BASE

Les connaissances résumées dans cette unité constituent un rappel des notions de base à l'étude en 1re et en 2e secondaire. Plusieurs de ces notions doivent être comprises avant d'aborder les nouvelles notions au programme de la 3e secondaire. Vous pourrez consulter ces pages tout au long de l'année.

Synthèse des connaissances

Tout en lisant, surlignez les éléments qui vous semblent nouveaux.

Les groupes constituants de la PHRASE DE BASE

La majorité des phrases peuvent être analysées par comparaison au modèle suivant.

           groupes obligatoires   groupe(s) facultatif(s)

PHRASE DE BASE =   GNs   +   GV   +   (Gcompl. P)

            = type déclaratif et formes positive, active et neutre

La phrase suivante correspond en tous points au modèle de la PHRASE DE BASE.

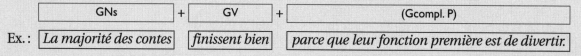

Ex. : *La majorité des contes*   *finissent bien*   *parce que leur fonction première est de divertir.*

Par ailleurs, la phrase suivante s'éloigne du modèle de la PHRASE DE BASE.

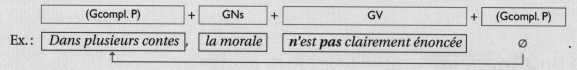

Ex. : *Dans plusieurs contes* , *la morale* *n'est **pas** clairement énoncée*   ∅   .

▶ **REMARQUE**   Ici, le Gcompl. P est déplacé en début de phrase et la phrase est de forme négative. ◀

La jonction de phrases

À l'intérieur d'une **phrase graphique**, c'est-à-dire d'une phrase qui commence par une majuscule et qui se termine par un point, on peut trouver plus d'une **phrase syntaxique**.

Le modèle de la PHRASE DE BASE permet d'identifier et de délimiter toute phrase syntaxique à l'intérieur d'une phrase graphique.

La phrase suivante est une phrase graphique qui comprend deux phrases syntaxiques.

phrase matrice

| GNs | + | GV | + | (Gcompl. P) |

phrase subordonnée

| subordonnant | GNs | + | GV |

Ex. : *La majorité des contes finissent bien parce que leur fonction première est de divertir.*

Les phrases syntaxiques peuvent être jointes par coordination, par juxtaposition ou par subordination.

Les phrases coordonnées et les phrases juxtaposées

Les phrases coordonnées sont jointes à l'aide d'un coordonnant et les phrases juxtaposées, à l'aide d'un **signe de ponctuation** comme la virgule, le deux-points ou le point-virgule. Ces phrases syntaxiques pourraient généralement être séparées par un point.

Les phrases suivantes sont des **phrases coordonnées**.

coordonnant

Ex. : [*La morale d'un conte se dégage habituellement au fil de la lecture*], mais [*elle peut aussi être clairement énoncée à la fin du récit*].

▶ **REMARQUE** Le coordonnant est généralement précédé d'une virgule, sauf s'il s'agit de *et* ou de *ou*. ◀

Les phrases suivantes sont des **phrases juxtaposées**.

Ex. : [*L'adjuvant est ce qui aide le héros ou l'héroïne dans sa quête*] ; [*l'opposant est ce qui lui fait obstacle*].

Les phrases subordonnées

Les phrases subordonnées font partie d'une phrase qu'on appelle *phrase matrice*. Elles sont généralement insérées dans la phrase matrice à l'aide d'un subordonnant. La phrase subordonnée **dépend d'un mot dans la phrase matrice ou de son GNs et de son GV** : elle ne peut pas en être séparée.

PRINCIPALES SUBORDONNÉES	EXEMPLES
Subordonnée relative	[*Le conte est un récit imaginaire* [qui *se déroule dans un monde faisant place à l'invraisemblable*].]
Subordonnée complétive • Complétive en *que* • Complétive interrogative • Complétive exclamative	[*On raconte* [qu'*au temps jadis régnait aux Indes un roi très bon et très généreux*]…] *Les Mille et une nuits* [*Je sais* [comment *s'appelait ce roi*].] [*Écoute* [comme *ce conte est fascinant*].]
Subordonnée circonstancielle	[[Dès qu'*il connaîtrait la fin de son histoire*], *le roi Schahriar ferait tuer Schéhérazade.*]

Les types de phrases

Une phrase syntaxique, selon la façon dont elle est construite, peut généralement être associée à l'**un des quatre types de phrases** suivants.

TYPES DE PHRASES	EXEMPLES
Phrase déclarative	*Schéhérazade a imaginé un stratagème pour échapper à la mort.*
Phrase interrogative • Interrogations totales • Interrogations partielles	 *Schéhérazade **a-t-elle** imaginé un stratagème pour échapper à la mort ?* ***Est-ce qu**'elle a imaginé ce stratagème ?* ***Qu'a-t-elle** imaginé ? **Qu'est-ce qu**'elle a imaginé ? **Qui** a imaginé un stratagème pour échapper à la mort ? **Qui est-ce qui** a imaginé ce stratagème ?*
Phrase impérative	***Imagine** son stratagème.*
Phrase exclamative	***Comme** elle a imaginé un stratagème ingénieux !* ***Qu**'elle est ingénieuse !*

Les formes de phrases

Une phrase syntaxique, selon la façon dont elle est construite, peut généralement être associée à **trois des formes** suivantes.

FORMES DE PHRASES	EXEMPLES
Phrase positive **ou phrase négative**	*La reine a trahi le roi Schahriar.* *La reine **n'a pas** trahi le roi Schahriar.*
Phrase active **ou phrase passive** • Passive complète • Passive incomplète	*La reine a trahi le roi Schahriar.* *Le roi Schahriar **a été trahi par la reine**.* *Le roi Schahriar **a été trahi**.*
Phrase neutre **ou phrase emphatique**	*La reine a trahi le roi Schahriar.* ***C'est** la reine **qui** a trahi le roi Schahriar.*

Les phrases à construction particulière

Certaines phrases syntaxiques se distinguent par des caractéristiques qu'on ne définit pas par comparaison à la PHRASE DE BASE ; il s'agit des phrases à construction particulière suivantes.

PHRASES À CONSTRUCTION PARTICULIÈRE	EXEMPLES
Phrase non verbale	*Motus, bouche cousue.*
Phrase impersonnelle	*Il ne **faut** pas qu'elle parle.*
Phrase infinitive	*Ne rien **dire**.*
Phrase à présentatif	***C'est** son secret.*

Les groupes de mots

Les groupes de mots sont généralement **construits autour d'un mot noyau**, lequel donne son nom au groupe. Voici les différents groupes de mots que l'on peut retrouver dans une phrase ou encore dans un autre groupe de mots.

GROUPES DE MOTS	EXEMPLES
Groupe du nom (GN) Noyau : nom ou pronom	*J'ai lu passionnément la très belle histoire de Schéhérazade.*
Groupe du verbe (GV) Noyau : verbe	*J'ai lu passionnément la très belle histoire de Schéhérazade.*
Groupe de l'adjectif (GAdj) Noyau : adjectif	*J'ai lu passionnément la très belle histoire de Schéhérazade.*
Groupe de l'adverbe (GAdv) Noyau : adverbe	*J'ai lu passionnément la très belle histoire de Schéhérazade.*
Groupe prépositionnel (GPrép) Élément essentiel : préposition	*J'ai lu passionnément la très belle histoire de Schéhérazade.*

Les classes de mots et l'orthographe grammaticale

Les mots sont répartis en **huit grandes classes** de mots selon leurs caractéristiques. Certaines classes de **mots** sont **variables** et d'autres **invariables**. Parmi les mots variables, certains sont des <u>donneurs d'accord</u> et d'autres des <u>receveurs d'accord</u>.

Voici les classes de mots avec certaines **caractéristiques concernant leur forme et leur accord**.

GROUPES DE MOTS	QUELQUES CARACTÉRISTIQUES	EXEMPLES
<u>Déterminant</u>	• variable en genre et en nombre • receveur d'accord	*ce roi, cet **homme**, cette **reine**, ces **princesses**, ces **princes***
<u>Nom</u>	• variable en nombre, et en genre pour des noms représentant des êtres animés • donneur d'accord	*ce roi, ces rois, **cette** reine, **ces** reines ; ce château, **ces** châteaux*
<u>Pronom</u>	• variable en genre ou en nombre ou • non variable • donneur d'accord	*il, elle, ils, elles ; tout, tous, toutes ; lui, leur ; chacun, chacune* *personne, rien, qui, que*
<u>Adjectif</u>	• variable en nombre et souvent en genre • receveur d'accord	*beau, bel, beaux, belle, belles ; bleu, bleus, bleue, bleues ; rouge, rouges*
<u>Verbe</u>	• variable en mode, en temps, et en personne et en nombre ▶ **ATTENTION !** Le verbe au participe passé varie en genre et en nombre ; le verbe au **participe présent** et à l'**infinitif** ne porte aucune marque de nombre, ni de personne ni de genre. ◀ • receveur d'accord • formé d'un radical et d'une terminaison aux temps simples • formé d'un auxiliaire et d'un participe passé aux temps composés	*que je fasse, je fais, je faisais, nous faisons, vous faites* *fait, faite, faits, faites* *En les faisant, je me suis trompée.* *Je dois les faire à nouveau.* *que je fass / e, je fai / s, je fais / ais* *j'ai fait, je suis allé*
<u>Adverbe</u>	non variable	*vite, toujours, lentement, vraiment*
<u>Préposition</u>	non variable	*à, de, par, sans, avec, sur, à côté de*
<u>Conjonction</u> • de coordination • de subordination	non variable	*mais, ou, et, car, ni, or* *quand, lorsque, parce que*

Quelques erreurs fréquentes

Voici des erreurs fréquentes liées aux notions de base à l'étude en 1re et en 2e secondaire. Portez-y une attention particulière. Plusieurs d'entre elles vous seront à nouveau présentées à l'intérieur des unités qui suivent, afin que vous développiez, entre autres, des moyens de les éviter ou de les corriger.

Tout en lisant la description et la correction des erreurs, surlignez ce qui pourrait vous être utile lorsque vous réviserez vos textes.

EXEMPLES D'ERREURS	DESCRIPTION ET CORRECTION DES ERREURS
Lorsque la nuit tombait, l' ~~L'~~astucieuse Schéhérazade poursuivait l'histoire qu'elle avait commencée la veille. ~~Lorsque la nuit tombait.~~	Un Gcompl P est séparé du GNs et du GV qu'il complète. ⊃ **Correction :** L'insérer dans la phrase, avec le GNs et le GV qu'il complète et modifier la ponctuation.
Schéhérazade a raconté l'histoire d'Aladin et de la lampe magique [;] elle a aussi raconté celle d'Ali Baba et des quarante voleurs.	Deux phrases syntaxiques sont simplement mises côte à côte sans rien pour les relier ou les séparer. ⊃ **Correction :** Les joindre à l'aide d'un signe de ponctuation ou d'un marqueur de relation.
Q *est-ce* ~~C'est~~ quelles histoires ∧qu'elle a racontées ?	La phrase interrogative est construite avec un mot interrogatif comme *quelles (quel)*, *où*, *quand* ou *pourquoi* et avec *c'est… que*, *c'est… qui, que, qui, c'est que, c'est qui, ce que* ou *ce qui*. ⊃ **Correction :** Supprimer *c'est… que, c'est… qui*, etc. et employer *est-ce que* avec le mot interrogatif.
Quand *-t-elle* ∧Schéhérazade a ∧raconté ces histoires ~~quand~~ ? *Quand est-ce que* ∧Schéhérazade a raconté ces histoires ~~quand~~ ?	La phrase interrogative est construite avec un mot interrogatif placé après le GNs et le GV. ⊃ **Correction :** Déplacer le mot interrogatif devant le GNs et le GV et compléter la phrase interrogative par un pronom après le verbe ou par *est-ce que*.
t-elle Schéhérazade a- ~~tu~~ raconté beaucoup d'autres histoires encore ?	*Tu* est ajouté après le verbe pour marquer l'interrogation. ⊃ **Correction :** Supprimer *tu* et employer un pronom de même personne que le GNs. Au besoin, consulter un ouvrage de référence pour vérifier l'emploi du trait d'union ou du *t* entre traits d'union.
n' On ∧a pas encore eu l'occasion de lire tous les tomes des « Mille et une nuits ».	La phrase négative est construite sans *ne* (ou *n'*). ⊃ **Correction :** Ajouter *ne* (ou *n'*).

SUITE ▷

▸ *SUITE*

EXEMPLES D'ERREURS	DESCRIPTION ET CORRECTION DES ERREURS
Il n'y a ~~pas~~ rien de mieux que de s'endormir en lisant une histoire fabuleuse que l'on poursuivra ensuite dans nos rêves.	La phrase négative est construite avec *pas* et avec un marqueur de négation comme *rien*, *personne*, *jamais* ou *nulle part*. ⟳ **Correction :** Supprimer *pas* à condition de ne pas changer le sens de la phrase.
Maintenant, avant de partir, ils ~~les~~ ferme*s* ^{nt (font)} les fenêtres de la maison, comme je (lui) leur*s* ai montre*r* à le faire.　é («appris» et non «apprendre»)	Un mot est mal orthographié parce qu'il a été identifié comme un mot d'une autre classe, d'une autre catégorie, par exemple : – un verbe est orthographié comme un nom ; – un pronom est orthographié comme un déterminant ; – un verbe au participe passé est orthographié comme un verbe à l'infinitif. ⟳ **Correction :** Identifier la classe ou la catégorie du mot en procédant à des manipulations (ex. : remplacement du mot par un autre de même catégorie). Changer l'orthographe du mot et respecter la façon de varier du mot selon la classe à laquelle il appartient et selon son emploi dans la phrase.

Le groupe du verbe

Dans tous les textes, qu'ils soient de type narratif, explicatif ou autre, le GV joue un rôle essentiel ; ce groupe de mots est généralement celui qui contient le plus d'information dans la phrase. Pour en faire la preuve, relisez ce paragraphe sans les GV (ils sont surlignés) ; vous verrez que le texte perdra toute sa valeur, tout son sens.

🔲 Synthèse des connaissances

Tout en lisant, surlignez les éléments qui vous semblent essentiels pour bien comprendre ce qu'est un GV et comment il se construit.

Selon le modèle de la PHRASE DE BASE, le **GV** est le **second groupe constituant obligatoire de la phrase** ; il est placé après le GNs. Contrairement au Gcompl. P, le GV ne peut pas être supprimé.

GNs	+	GV	+	(Gcompl. P)

Ex. : *Antoine* *ira en Normandie* *dans quelques années.*

La plupart des phrases contiennent au moins un GV. Du point de vue du sens, le GV fournit un ou des renseignements sur le sujet de la phrase.

Le noyau du groupe du verbe

Le noyau du GV est un **verbe conjugué en personne et en nombre** (1S, 2S, 3S, 1P, 2P, 3P). Ce verbe est conjugué à un temps simple ou à un temps composé.

temps simple   temps composé = auxiliaire + participe passé

Ex. : *Les lutins* _habitent_ *notre enfance ; ils* _ont_ *aussi* _habité_ *celle de bien des générations avant nous.*

▶ REMARQUE Le **verbe à l'infinitif** est le noyau du GVinf et le **verbe au participe présent** est le noyau du GVpart.

                    GPrép   GV
                    GVpart   GVinf
Ex. : *En* _lisant_ La grande encyclopédie des Lutins *de Pierre Dubois* , *nous* *avons pu* _découvrir_ *des espèces*

que nous ne soupçonnions même pas . ◀

Le verbe pronominal

Le noyau du GV peut être un verbe pronominal comme *se souvenir*. Le verbe pronominal comprend un **pronom personnel** (*me, te, se, nous, vous*) de la **même personne** que le noyau du GNs.

> GNs 3P   3P

Ex : (*Les lutins*) *se répartissent* en centaines de familles.

> GNs IP   IP

(*Nous*) *nous répartirons* le travail de recherche sur les différentes familles de lutins.

▶〗 REMARQUE Dans les dictionnaires, les verbes pronominaux sont signalés par l'abréviation *v. pron.* 〖◀

À un **temps composé**, le verbe pronominal se conjugue toujours avec l'**auxiliaire être**.

> sommes   étaient

Ex. : *Nous nous ~~avons~~ réparti le travail. Ils s'~~avaient~~ réparti le travail.*

Certains verbes sont toujours pronominaux alors que d'autres ne le sont qu'occasionnellement.

VERBE	EXEMPLES
toujours pronominal	*Je ne me souviens pas du nom de toutes les créatures formant le Petit Peuple.*
occasionnellement pronominal	*Nous nous servirons de mots plus précis que le mot « lutin ».* (Ici, *servir* est pronominal : *se servir*.)
	Le mot « lutin » sert couramment à désigner tous les êtres constituant le Petit Peuple. (Ici, *servir* n'est pas pronominal.)

▶〗 REMARQUE La construction du GV peut être différente selon que le verbe est employé comme verbe pronominal ou non (ex. : SERVIR À QQCH., mais SE SERVIR DE QQCH.). 〖◀

La construction du groupe du verbe

Un GV peut être formé :

- seulement de son **verbe noyau** ;

   Ex. : *L'aspect physique des lutins varie. Pourtant, certains lutins d'origines différentes se ressemblent.*

- du **verbe noyau** accompagné d'une ou de plusieurs **expansions obligatoires** (le noyau peut être un verbe attributif ou un verbe non attributif) ;

   Ex. : *Aujourd'hui, les lutins appartiennent à l'univers enfantin ; autrefois, ils étaient une croyance adulte.*

- du **verbe noyau**, avec ou sans expansion obligatoire, et d'une expansion facultative ayant la fonction de **modificateur du verbe** (généralement un GAdv qui exprime une intensité, une manière ou une négation).

  Ex. : *L'aspect physique des lutins* <u>varie</u> | beaucoup |, *mais notre curiosité pour eux* | ne | <u>change</u> | pas |.

La construction du GV et de ses expansions obligatoires est donnée par le verbe. Cette construction peut être différente pour un même verbe selon le sens.

Voici les fonctions et les constructions possibles des **expansions obligatoires** des verbes attributifs et non attributifs.

EXPANSIONS OBLIGATOIRES DES VERBES ATTRIBUTIFS		
Fonction	**Construction**	**Exemples**
<u>attribut du sujet</u>	GAdj	*Les lutins des légendes anciennes* <u>étaient</u>	maléfiques	.
	GN	*Les lutins* <u>demeurent</u>	des créatures mystérieuses	.
	GPrép	*Les lutins des contes* <u>ont l'air</u>	d'humains miniatures	.
	Pron	*Les lutins peuvent prendre la forme d'humains ou d'animaux, mais ils n'*	en	<u>sont</u> *pas*.

PRINCIPALES EXPANSIONS OBLIGATOIRES DES VERBES NON ATTRIBUTIFS		
Fonction	**Construction**	**Exemples**
<u>complément direct du verbe</u>	GN	*Nous* <u>préférons</u>	les lutins des vieilles légendes populaires	*aux lutins des contes.*
	subordonnée complétive	*Plusieurs* <u>affirment</u>	qu'il existe aussi des lutines	.
	subordonnée infinitive (ou GVinf seul)	*Nous* <u>aimerions</u>	connaître l'origine des lutins	.
	Pron	*Il n'y a pas que les canards qui ont les pieds palmés, certains lutins aussi*	les	<u>ont</u>.
	GPrép	*Nous* <u>craignons</u>	de vous donner des cauchemars	.

SUITE ▷

▸ *SUITE*

PRINCIPALES EXPANSIONS OBLIGATOIRES DES VERBES NON ATTRIBUTIFS		
Fonction	**Construction**	**Exemples**
<u>complément</u> <u>indirect du verbe</u>	GPrép	*Nous* <u>*préférons*</u> *les lutins des vieilles légendes populaires* *aux lutins des contes*.
	subordonnée complétive	*Nous* <u>*tenons*</u> *à ce que vous imaginiez les Cabires, des petits êtres trapus à trois yeux et à la peau rougeâtre*.
	GAdv	*Les lutins* <u>*se trouvent*</u> *partout*.
	Pron	*Les lutins des vieilles légendes* *nous* <u>*ressemblent*</u> *moins*.

▶▶ **REMARQUE** Les **expansions du verbe à l'infinitif** dans le GVinf sont les mêmes que celles du verbe conjugué dans le GV et ont la même construction. On peut donc vérifier la construction du GVinf de la même façon qu'on vérifie celle du GV.

Ex. : *J'ai fini par penser ~~de~~ rapporter* ^à *La grande encyclopédie des Lutins à la bibliothèque*. ◀◀
(PENSER À QQCH.)

Quelques e̶rreurs fréquentes

Voici des erreurs fréquentes liées à la construction du GV. Après les séances d'exercices qui suivent, vous serez en mesure d'éviter de telles erreurs ou de les corriger dans vos textes. Consultez le tableau ci-dessous en tout temps et particulièrement dans la séance d'entraînement quand vous verrez le pictogramme ⓪ correspondant à chaque cas d'erreur.

Tout en lisant la description et la correction des erreurs, surlignez ce qui pourrait vous être utile lorsque vous réviserez vos textes.

EXEMPLES D'ERREURS	DESCRIPTION ET CORRECTION DES ERREURS	
Nous visiterons l'Allemagne où **les Bergleutes** ɏ **sont apparus.** (APPARAÎTRE QQPART)	Il y a deux expansions du verbe qui ont la même fonction et le même antécédent. ⟳ **Correction :** Supprimer l'expansion redondante.	❶
J'ai trouvé une belle illustration de Blanche-Neige avec les Bergleutes. te l' e **Si j'avais pu, je t̶'aurais montré**ₑ. (MONTRER QQCH. À QQN)	Une expansion obligatoire du verbe est absente. ⟳ **Correction :** Ajouter l'expansion manquante après le verbe ou sous forme de pronom avant le verbe. Accorder le participe passé avec le complément direct du verbe ajouté devant le verbe s'il y a lieu. (*Voir l'unité 10.*)	❷

SUITE ▷

▸*SUITE*

EXEMPLES D'ERREURS	DESCRIPTION ET CORRECTION DES ERREURS	
les Les Bergleutes aidaient ~~aux~~ enfants perdus. (AIDER QQN) aux/avec les Ils ne se mêlaient pas ~~des~~ autres nains des mines. (SE MÊLER À / AVEC QQN)	Une préposition est ajoutée à tort au début du complément du verbe ou a été mal choisie. ⊃ **Correction :** Supprimer la préposition ou la remplacer par une autre ou par un déterminant contracté.	❸
Les Bergleutes s'occupaient ⎹des⎸ des (= de + les) ⎹enfants perdus⎸ et ⎹~~les~~ animaux blessés⎸. (S'OCCUPER DE QQN)	La préposition *à, de* ou *en* qui devrait être répétée au début du complément indirect du verbe juxtaposé ou coordonné est absente. ⊃ **Correction :** Au début des compléments indirects juxtaposés ou coordonnés, répéter la préposition *à, de* ou *en* (ou le déterminant contracté) employée au début du premier GPrép.	❹
les (remplace un GN) Ils ~~leur~~ aident à trouver leur chemin. lui (remplace un GPrép désignant une personne) Ils ~~y~~ parlent doucement.	Le pronom employé comme expansion du verbe n'est pas le bon selon les caractéristiques du groupe qu'il remplace. ⊃ **Correction :** Déterminer si le pronom remplace un GN ou un GPrép, s'il désigne une personne ou une chose, déterminer son genre et son nombre, puis choisir le bon pronom.	❺

⊞ Séance d'échauffement

1 Observez la construction des verbes soulignés et complétez les énoncés ci-après.

⧫ **1** Les Telchines, forgerons des dieux de l'Olympe, <u>auraient fabriqué</u> le trident de Poséidon.

⧫ **2** Grâce à leur connaissance de la magie, les Telchines <u>se transformaient</u> en monstre, en homme ou en animal.

⧫ **3** Comment reconnaît-on un Telchine qui <u>s'est transformé</u> en animal ?

> ▪ Le **verbe conjugué à un temps composé** (ex. : _____ *fabriqué*) comprend toujours deux parties : un <u>auxiliaire</u> (ex. : _____) et un <u>participe passé</u> (ex. : _____). Le plus souvent, c'est l'auxiliaire *avoir* qui est employé pour former les temps composés, mais certains verbes, comme les verbes pronominaux, se conjuguent avec l'auxiliaire _____ (ex. : *il s'*_____ *transformé*).

≡ MON OUVRAGE DE RÉFÉRENCE

TITRE : _____
_____

MOTS CLÉS : *verbe pronominal, temps composés, auxiliaire.*

PAGES : _____

- Le **verbe pronominal** (ex. : _____ et

  _____) comprend toujours un _____ de la

  même personne que le GNs (ex. : *je _____ repose, je _____ endors,*

  tu _____ reposes, tu _____ endors, il _____ repose,

  elle _____ endort, on _____ repose, on _____ endort,

  elles _____ reposent, ils _____ endorment, nous _____

  reposons, vous _____ endormez).

2 **a)** Dans les phrases ci-après :

- soulignez les verbes conjugués ;

- encerclez les GNs et indiquez au-dessus leur personne (1, 2 ou 3) et leur nombre (S ou P) ;

- ajoutez un deuxième trait sous les verbes pronominaux.

☰ MON OUVRAGE DE RÉFÉRENCE

TITRE : _____

_____

MOTS CLÉS : *verbe conjugué, verbe pronominal, sujet, groupe du nom sujet (GNs).*

PAGES : _____

AU BESOIN, suivez les étapes suivantes pour repérer les verbes conjugués.

☐ Assurez-vous que le mot peut être encadré par *ne… pas*.

☐ Assurez-vous qu'il peut être mis à un autre temps ou à une autre personne.

☐ Vérifiez si le verbe comprend un participe passé ou un pronom.

Mon grand-père , qui vient d'Angleterre , me raconte souvent des histoires de Pixies , que je me plais à raconter par la suite à mes camarades .

Le Pixie est très dangereux . On ne peut pas le toucher et, aussitôt qu'on le croit entre ses mains , il s'enfuit très loin et on se retrouve les mains vides . On dit que la taille du Pixie s'est mise à régresser si bien qu'il serait aujourd'hui disparu . Cependant , mon grand-père et moi nous souvenons d'une légende racontant qu'une fois réduit à l'invisible, il se serait mis à puiser une nouvelle énergie en mangeant tout ce qu'il pouvait rencontrer de comestible , même les voyageurs , et que par la suite il se serait réanimé très petit et rabougri , mais beaucoup plus puissant . Si vous vous trouvez un jour sur une colline dans le sud-ouest de l'Angleterre , vous entendrez

peut-être le rire affolant du Pixie . À ce moment , vous me croirez

sûrement .

b) Dans les phrases en **a)**, un des <u>pronoms</u> placés devant le verbe est de la même personne que le GNs, mais ne sert jamais à former un verbe pronominal. Trouvez ce pronom et encadrez-le.

3 **a)** Mettez entre parenthèses l'élément encadré qui a la fonction de <u>complément de phrase</u>.

> ☰ MON OUVRAGE
> DE RÉFÉRENCE
>
> TITRE : _____
> _____
>
> MOTS CLÉS : *groupes constituants, groupe du verbe (GV).*
>
> PAGES : _____

> **AU BESOIN**, suivez les étapes suivantes pour repérer les Gcompl. P.
> ☐ Assurez-vous que l'élément peut être effacé et déplacé.
> ☐ Vérifiez si l'élément peut être employé après *et cela…*

1 Les Farfadets enduisent les escaliers de beurre pendant que vous dormez .

2 Vous attendrez le lever du soleil pour descendre l'escalier et vous serez très prudents .

3 Les Farfadets attendent , pour vous visiter , le coucher du soleil .

4 Les Farfadets patientent jusqu'au coucher du soleil pour s'immiscer sous sous votre lit .

5 Vous ne les entendez pas , vous ne vous doutez même pas de leur présence , mais ils sont là .

b) Dans les phrases précédentes, surlignez les GV.

> **AU BESOIN**, suivez les étapes suivantes pour délimiter les GV.
> ☐ Encerclez le GNs.
> ☐ Surlignez l'élément encadré qui ne peut pas être déplacé devant le GNs.
> ☐ Surlignez l'élément encadré qui ne peut pas être effacé sans changer le sens de la phrase.
> ☐ Surlignez l'élément encadré qui peut être remplacé après le verbe par un adjectif; par QQCH./QQN ; ou par DE QQCH./DE QQN, À QQCH./À QQN, SUR QQCH./SUR QQN, etc., ou encore par QQPART.

4 **a)** Dans les phrases ci-après, soulignez les verbes et surlignez les GV.

b) Dans les GV surlignés :

- encadrez les compléments directs du verbe ;
- encadrez en pointillés les compléments indirects du verbe ;
- mettez entre crochets les autres <u>expansions</u> du verbe (les <u>modificateurs</u> du verbe).

☰ MON OUVRAGE
DE RÉFÉRENCE

TITRE : _____

_____

MOTS CLÉS : *groupe du verbe (GV),
complément, modificateur.*

PAGES : _____

> **AU BESOIN,** suivez les étapes suivantes pour distinguer le complément direct et le complément indirect du verbe.
>
> ☐ Vérifiez s'il s'agit d'un **complément direct** en remplaçant l'expansion par :
> - l'un de ces pronoms avant le verbe : *le* (*l'*), *la* (*l'*), *les* ou *en* ;
> - QQCH. ou QQN, ou le pronom *cela* après le verbe.
>
> ☐ Vérifiez s'il s'agit d'un **complément indirect** en remplaçant l'expansion par :
> - l'un de ces pronoms avant le verbe : *lui, leur, y* ou *en* ;
> - Prép (*à, de, sur*, etc.) + QQCH. ou par Prép + QQN, ou encore par QQPART placé après le verbe.

1 Selon plusieurs légendes , les Brownies apprécient beaucoup les bureaux des écrivains ; ils les apprécient davantage quand les écrivains s'intéressent au merveilleux .

2 Ces petites créatures de vingt centimètres leur confient spontanément leurs inspirations fantaisistes .

3 Une épaisse toison recouvre les Brownies d'un manteau de fourrure naturelle ; cette toison les protège du froid .

4 Les Brownies apportent à l'être humain une aide précieuse ; ils la lui offrent en échange d'un peu de nourriture.

c) Cochez les manipulations ou les caractéristiques qui s'appliquent aux modificateurs du verbe que vous avez mis entre crochets.

☐ Ils sont obligatoires.

☐ Ils peuvent être supprimés.

☐ Ils expriment une intensité, une manière ou une négation.

☐ Ils expriment un lieu ou un temps.

☐ Ils peuvent être déplacés en début de phrase et employés après *et cela…* en fin de phrase.

5 À l'aide des phrases suivantes, complétez les énoncés ci-après.

1 Les Telchines ne <u>sont</u> pas des esprits du feu, même si on

les tient responsables de plusieurs éruptions volcaniques.

2 J'<u>étais</u> chez mes cousines la première fois où j'ai entendu

parler des Telchines.

- Dans la phrase numéro _____, le verbe *être* change de sens si on remplace l'élément encadré par un adjectif ; ce verbe a le sens de « se trouver (dans un lieu) » et l'élément qui le suit peut être remplacé par _____.

- Dans la phrase numéro _____, le verbe *être* **n'est pas un <u>verbe attributif</u>** et l'élément encadré n'a pas la fonction d'<u>attribut du sujet</u>, mais celle de _____ _____.

- Dans la phrase numéro _____, le verbe *être* ne change pas de sens si on remplace l'élément encadré par un adjectif (ex. : _____ _____).

- Dans la phrase numéro _____, le verbe *être* **est un verbe attributif** et l'élément encadré a la fonction d'_____.

6 **a)** Dans les phrases suivantes, encadrez le pronom qui correspond à l'expansion du verbe encadrée dans le GVinf en majuscules.

1 Tu m'as plu dès que je t'ai rencontré , je m'en souviens .

(PLAIRE À QQN)　　　　(RENCONTRER QQN)　(SE SOUVENIR DE QQCH.)

2 Elles se sont plu dès qu'elles se sont rencontrées .

(PLAIRE À QQN **ou** SE PLAIRE)　　(RENCONTRER QQN **ou** SE RENCONTRER)

b) Soulignez de deux traits les verbes pronominaux avec les pronoms qui en font partie et d'un seul trait les verbes non pronominaux.

c) Transcrivez le verbe pronominal dont le pronom :

- est l'équivalent d'un complément direct du verbe : _____

- est l'équivalent d'un complément indirect du verbe : _____

- n'a aucune fonction syntaxique : _____

7 À l'aide du GVinf en majuscules, identifiez la fonction du pronom relatif encadré et inscrivez-la au-dessus de ce pronom.

1 Parmi les êtres du Petit Peuple, on trouve aussi les Gremlins, que vous connaissez sans doute. (CONNAÎTRE QQN/QQCH.)

2 Les Gremlins, auxquels on attribue toutes sortes d'ennuis mécaniques (du bris du grille-pain au déraillement du train), auraient été, autrefois, au service des humains. (ATTRIBUER QQCH. À QQN)

3 Encore une fois, l'ingratitude dont l'humain a fait preuve envers une créature serviable a transformé cette créature en être nuisible. (FAIRE PREUVE DE QQCH. ENVERS QQN)

4 Les mécanismes où se trouvent les Gremlins peuvent être très bien entretenus par ces créatures si on n'oublie pas de les remercier ou de les récompenser. (SE TROUVER QQPART)

8 Complétez le tableau ci-dessous à l'aide d'un ouvrage de référence en grammaire ou, si vous le voulez, à partir des phrases contenues dans les exercices précédents.

PRONOMS	COMPLÉMENT DIRECT DU VERBE	COMPLÉMENT INDIRECT DU VERBE
• personnels de la première personne		
• personnels de la deuxième personne		
• personnels de la troisième personne		
• relatifs		

⊡ Séance d'entraînement

1 **a)** Observez chaque <u>expansion</u> du verbe encadrée dans le GVinf en majuscules et encadrez les deux expansions qui y correspondent dans la phrase. **❶**

b) Barrez l'expansion redondante qui peut être supprimée.

Attention, **e**rreurs!

1 Selon une légende, la forêt où nous y <u>sommes allés</u> pour notre excursion

est peuplée de lutins. (ALLER │QQPART│)

2 Avant de partir, Sophia a lu attentivement *La grande encyclopédie des Lutins*

dont je lui en <u>avais parlé</u>. (PARLER │DE QQCH.│ À QQN)

3 Ma copine Sophia, à qui tu lui en <u>avais parlé</u> de *La grande encyclopédie*

des Lutins, <u>s'</u>y <u>intéresse</u> à ces petits personnages depuis sa tendre enfance.

(PARLER │DE QQCH.│ ┆À QQN┆) (S'INTÉRESSER │À QQCH.│)

4 Lors de notre excursion, nous l'<u>avons emporté</u> la carte qu'ils nous

l'<u>avaient donnée</u>. (EMPORTER │QQCH.│) (DONNER │QQCH.│ À QQN)

---

2 Comparez les GVinf en majuscules aux GV des phrases ci-dessous, puis complétez **❷**
ces phrases. Pour ce faire:

- encadrez l'expansion du verbe qui est déjà dans la phrase, s'il y a lieu;
- ajoutez l'expansion du verbe qui manque.

Ex.: *Sandro laissera <u>à ses amis</u> │toutes les indications nécessaires pour qu'ils trouvent*
sa cabane dans un arbre│. (LAISSER │QQCH.│ À QQN)

1 Elle a commencé _____.
(COMMENCER QQCH.)

2 Ils ont commencé _____.
(COMMENCER À FAIRE QQCH.)

3 Cette cuisinière épate de plus en plus _____.
(ÉPATER QQN)

4 Nous nous épatons de plus en plus _____.
(S'ÉPATER DE QQCH.)

5 Nous lui rendrons _____.
(RENDRE QQCH. À QQN)

6 Vous leur direz _____ et vous
_____ leur répéterez. (DIRE QQCH. À QQN) (RÉPÉTER QQCH. À QQN)

7 Avant d'ajouter les œufs, vous devez _____
battre vigoureusement. (BATTRE QQCH.)

8 Lors de cette partie, vous ne vous battrez pas _____
_____ sous peine d'une expulsion. (SE BATTRE AVEC QQN)

9 Elles _____ ont conseillé
d'emporter un coffre à outils. (CONSEILLER QQCH. À QQN)

10 La petite fille a entouré le jardin de ses parents _____
_____. (ENTOURER QQCH. DE QQCH.)

3 Dans chacune des phrases ci-dessous, encadrez le complément indirect du verbe 【3et4】
souligné et ajoutez-en d'autres de même construction.

1 Si j'étais un lutin, je <u>me nourrirais</u> de miel, _____
et _____.

2 Si j'avais des pouvoirs magiques, je <u>me transformerais</u> en animal ou
_____.

3 Cette idée <u>plaît</u> à mon père, _____, _____
_____ ainsi qu'_____.

4 Cette zoologiste <u>s'occupe</u> de concevoir des habitats naturels pour les animaux,
_____ et _____.

5 Cette zoologiste <u>occupe</u> les stagiaires à observer les animaux et _____
_____.

4 a) Dans les phrases ci-dessous, ajoutez, au besoin, une <u>préposition</u> au début ③et④
des expansions du verbe encadrées.

b) Décrivez la construction du GV en complétant le GVinf en majuscules (employez
les abréviations QQCH. et QQN).

1 Les Gnomes <u>appartiendraient</u> |_____ une espèce particulière du
grand empire des génies souterrains| . (APPARTENIR _____)

2 Beaucoup <u>confondent</u> les Gnomes |_____ des nains barbus au bonnet
pointu| . (CONFONDRE _____)

3 Les Gnomes <u>élèvent</u> |_____ des chèvres| et en <u>boivent</u> |_____ le lait|.
(ÉLEVER _____) (BOIRE _____)

4 Les Gnomes <u>parfument</u> leurs biscuits de lichen et |_____ plantes des
cavernes|. (PARFUMER _____)

5 Longtemps, on a cherché des Gnomes ; on les <u>aurait interrogés</u> |_____ leur
pouvoir de voyance| . (INTERROGER _____)

5 Dans les phrases ci-dessous, remplacez le verbe en gras par le synonyme proposé ③
entre parenthèses, puis modifiez la construction de ses expansions s'il y a lieu.

AU BESOIN, consultez un dictionnaire.

1 Driss **a échangé** des fougères ~~contre~~ des branches de pin. (*remplacer*)

2 Il **tente de** trouver ce qui serait le plus confortable à mettre sous sa tente. (*s'évertuer*)

3 Il **a** finalement **choisi** de dresser sa tente sur de la mousse verte. (*décider*)

6 Dans les phrases ci-dessous, inscrivez au-dessus du verbe en gras son infinitif et ②et③
ajoutez-lui au moins une expansion.

1 Il **s'est décidé** _____

2 Elles **se sont aidées** _____

3 Il **a aidé** _____

4 Nous **nous considérons** _____

5 Nous **considérons** _____

7 Dans le tableau suivant, complétez le GV surligné à l'aide d'un des pronoms entre parenthèses, selon les caractéristiques données dans la colonne de droite. **5**

AU BESOIN, consultez une grammaire.

PRONOMS	CARACTÉRISTIQUES
Si un jour, en vous promenant dans la forêt, vous arriviez face à un Gnome, qu'est-ce que vous **1** (_le, lui, y_) _____ diriez ?	**1** Fonction : compl. indir. du V Groupe de mots remplacé : GPrép commençant par _à_ Antécédent : être animé (masculin, singulier)
Si un Gnome vous donnait rendez-vous dans la forêt, est-ce que vous **2** (_en, y_) _____ iriez ?	**2** Fonction : compl. indir. du V Antécédent : lieu
Si vous vous aperceviez que des Gnomes étaient pris dans une grotte et qu'ils ne puissent pas **3** (_en, y, la_) _____ sortir , **4** (_les, leur, y_) _____ aideriez -vous ?	**3** Fonction : compl. indir. du V Groupe de mots remplacé : GPrép commençant par _de_ **4** Fonction : compl. dir. du V Antécédent : être animé (masculin, pluriel)

8 Faites le marquage proposé ci-dessous dans la phrase suivante, puis répondez aux questions **a)** à **d)**. **1à5**

- Soulignez les verbes conjugués et les verbes à l'infinitif.
- Surlignez les GV et les GVinf d'une couleur différente.
- Encadrez séparément chacune des expansions obligatoires des verbes.

Plusieurs créatures qu'on associe au Petit Peuple auraient offert

leur aide aux humains , mais , par la suite , déçues de leur ingratitude ,

elles se seraient mises à les détester et à leur nuire .

a) Quel verbe a pour expansion un pronom relatif et quelle est la fonction de ce pronom relatif?

_____

_____

_____

_____

_____

b) Quelle fonction ont les deux expansions qui commencent par le déterminant contracté *au/aux* et pourquoi l'orthographe de ce déterminant est-elle différente?

_____

_____

_____

_____

c) Pourquoi l'expansion des deux verbes à l'infinitif n'est-elle pas la même?

_____

_____

_____

_____

_____

_____

d) Pourquoi ne pas avoir écrit *leur* avec un *s* dans *leur nuire*?

_____

_____

_____

_____

_____

9 **a)** Dans les phrases suivantes, surlignez les GV et les GVinf dont le verbe est souligné. **1à5**

b) Supprimez une expansion du verbe ou ajoutez-en une au-dessus du GV (indiquez où elle doit s'insérer à l'aide du symbole ∧).

AU BESOIN, consultez un dictionnaire.

Attention, erreurs!

1 Natalia <u>cherche</u> Huang partout, mais ne <u>trouvera</u> pas puisqu'il vient de <u>quitter</u>.

2 Natalia <u>a gagné</u> des billets de cinéma; elle voulait lui <u>dire</u> et l'<u>inviter</u>.

3 Elle se dit qu'il n'avait qu'à <u>attendre</u> et <u>décide</u> d'inviter Anna au cinéma.

4 Il <u>regrettera</u> sans doute et l'<u>attendra</u> Natalia la prochaine fois.

⊡ Qualification pour l'épreuve finale

1 Complétez la révision du texte ci-après à l'aide des pistes de révision ci-dessous. Cochez une case chaque fois qu'une piste vous aide à corriger une erreur. Les autres cases vous serviront au numéro **2**.

⊙ PISTES DE RÉVISION

Grammaire de la phrase

☐ ☐ Souligner le verbe conjugué ou à l'infinitif et souligner aussi le pronom du verbe pronominal.

☐ ☐ Pour chaque verbe non attributif, écrire en majuscules la construction du GV (ou du GVinf) selon son sens dans la phrase.

☐ ☐ Encadrer les expansions obligatoires du verbe.

☐ ☐ Barrer les expansions du verbe redondantes et ajouter les expansions du verbe manquantes.

☐ ☐ Vérifier la construction de l'expansion du verbe (ex. : le choix de la préposition ou du pronom).

Orthographe

☐ ☐ Vérifier l'orthographe du pronom *leur*, des prépositions comme *à* ou *sur* et des déterminants contractés *au* et *aux*.

Attention, ⊖rreurs !

                                                                   je l'
J'ai <u>lu</u> │le roman «Bilbo le Hobbit»│ et j'<u>ai</u> bien <u>aimé</u> . Quand je compare │avec les
LIRE QQCH.   AIMER QQCH.   COMPARER QQCH. AVEC QQCH.

│«Harry Potter»│ , j'ai │de la difficulté à dire │lequel│ j'ai préféré│ . Ces romans
                AVOIR QQCH.   DIRE QQCH.   PRÉFÉRER QQCH.

ont plusieurs points en commun : les personnages ont accès de la magie ; ils aident
AVOIR QQCH.   AVOIR ACCÈS À QQCH.   AIDER QQN

à leurs amis quand ces derniers sont dans de mauvaises postures ; ils se battent
                                                                    SE BATTRE CONTRE QQN

│pour des personnages malfaisants qui empêcheraient de réussir sur leur mission│ ;
                    EMPÊCHER QQN DE FAIRE QQCH.   RÉUSSIR QQCH.

des aventures imprévues leurs arrivent et ils se sortent toujours assez bien , etc.
                        ARRIVER À QQN   SE SORTIR DE QQCH.

• • •

e...

Bref , ces romans d'aventures sont palpitants et , quand on commence de les lire ,
COMMENCER À FAIRE QQCH.   LIRE QQCH.

peu importe où on y est , on ne peut plus s'arrêter .
ÊTRE QQPART   POUVOIR FAIRE QQCH. S'ARRÊTER

---

2 **a)** Choisissez un des parcours suivants et, sur une feuille mobile, écrivez votre texte que vous réviserez à l'aide des pistes de révision données au numéro **1**. Cochez une case chaque fois qu'une nouvelle piste vous permet de corriger une erreur.

Parcours narratif

Écrivez une courte péripétie que vous et une ou un de vos amis pourriez vivre si vous étiez perdus dans la forêt et que vous rencontriez une famille de lutins, un Troll ou un dragon, ou encore un autre personnage en lien avec le Petit Peuple.

Parcours explicatif

Écrivez un court texte dans lequel vous expliquez à des lutins pourquoi plusieurs personnes ne croient pas qu'ils existent.

b) Dans la grille de révision qui suit, insérez les pistes de révision qui vous ont été les plus utiles. Vous pouvez les personnaliser et en ajouter. Dans la colonne de droite, inscrivez les pages de vos ouvrages de référence et quelques trucs.

VERS UNE GRILLE DE RÉVISION

QUELQUES PISTES DE RÉVISION	MES OUTILS ET MES TRUCS
GRAMMAIRE DE LA PHRASE	
_____	_____
_____	_____
_____	_____
_____	_____
_____	_____
ORTHOGRAPHE	
_____	_____
_____	_____

La phrase infinitive

Vous connaissez depuis longtemps le verbe à l'infinitif : verbes en *-er*, en *-ir*, en *-oir* ou en *-re* ; alors vous connaissez déjà l'élément essentiel de la phrase infinitive. Cependant, saviez-vous que l'infinitif en *-er* est une source d'erreur orthographique parmi les plus fréquentes et les plus persistantes en français écrit ?

⊡ Synthèse des connaissances

Tout en lisant, surlignez les éléments qui vous semblent essentiels pour bien comprendre ce qu'est une phrase infinitive.

La construction de la phrase infinitive

La phrase infinitive a un **GV dont le noyau est un verbe à l'infinitif** (GVinf).

verbe à l'infinitif   GVinf

Ex. : | *Lire toutes les conditions d'admission* | *avant l'inscription au voyage dans l'espace.*

▶▶ **REMARQUES**

1. Il s'agit d'une construction particulière de phrase puisque son verbe n'est pas en relation d'accord avec un GNs et qu'il n'est pas conjugué en personne et en nombre.

2. Les **expansions du verbe à l'infinitif** dans le GVinf ont la même construction que celles du verbe conjugué dans le GV. On peut donc vérifier la construction du GVinf de la même façon qu'on vérifie celle du GV.

                    à   à

    Ex. : *Important :* | *téléphoner⌃toutes les candidates et⌃tous les candidats retenus* |. (TÉLÉPHONER À QQN) ◀

La phrase infinitive peut être constituée :

- seulement d'un GVinf, avec ou sans expansion du verbe ;

                   GVinf   GVinf

    Ex. : | *Lire attentivement toutes les conditions d'admission* |. | *Ne pas **prendre** une décision*

                                    GVinf

    à propos de laquelle on a des doutes |. | *Réfléchir* |.

- d'un GVinf et d'un Gcompl. P ;

                   GVinf   Gcompl. P

    Ex. : | *Lire toutes les conditions d'admission* | | *avant l'inscription au voyage dans l'espace* |.

- d'un GNs, d'un GVinf et, facultativement, d'un Gcompl. P.

       GNs   GVinf   Gcompl. P

Ex. : *Nous avons vu* | *les candidats* | | *courir* | | *de peur qu'on leur ferme la porte* |.

Généralement, le GNs de la <u>phrase subordonnée</u> infinitive est un <u>sujet sous-entendu</u>. Cependant, même si la phrase subordonnée infinitive contient un GNs, le verbe à l'infinitif n'est pas dans une relation d'accord avec ce GNs.

Ex. : *Nous avons vu les candidats* ~~*coururent*~~.

Le fonctionnement de la phrase infinitive

La phrase infinitive peut fonctionner seule, comme une phrase de type déclaratif ou impératif.

Ex. : *Téléphoner à toutes les candidates et à tous les candidats retenus.*

La phrase infinitive peut être insérée dans une phrase matrice. Il s'agit alors d'une **phrase subordonnée infinitive**. La subordonnée infinitive peut :

- prendre la place du GNs dans la phrase matrice (elle a alors la fonction de <u>sujet</u>);

          phrase matrice

     Sub. inf. sujet   GV

Ex. : | *Téléphoner à tous les candidats retenus* | | *est essentiel* |.

- être insérée dans un GV (elle a alors la fonction de <u>complément direct du verbe</u>) :

          phrase matrice

 GNs   GV

        Sub. inf. compl. dir. du V *aimeriez*

Ex. : | *Vous* | | *aimeriez* *téléphoner à tous les candidats retenus.* |

- servir à former un GPrép avec la <u>préposition</u> qui la précède (c'est alors le GPrép qui a une fonction syntaxique dans la phrase matrice).

          phrase matrice

      GPrép compl. indir. du V *parlez*

      Prép +   Sub. inf.

Ex. : | *Vous parlez* | | *de* *téléphoner à tous les candidats retenus.* |

Quelques erreurs fréquentes

Voici des erreurs fréquentes liées à l'emploi de la phrase infinitive, à la construction du GVinf et, notamment, à l'orthographe du verbe à l'infinitif. Après les séances d'exercices qui suivent, vous serez en mesure d'éviter de telles erreurs ou de les corriger dans vos textes. Consultez le tableau ci-dessous en tout temps et particulièrement dans la séance d'entraînement quand vous verrez le pictogramme ⓪ correspondant à chaque cas d'erreur.

Tout en lisant la description et la correction des erreurs, surlignez ce qui pourrait vous être utile lorsque vous réviserez vos textes.

EXEMPLES D'ERREURS	DESCRIPTION ET CORRECTION DES ERREURS	
er (ou « mordre ») **Ne pas poussé.** *é (ou « mordu »)* **Je ne l'ai pas pousser.**	Un participe passé en *-é* est employé à la place d'un verbe à l'infinitif en *-er* et vice versa. ⊃ **Correction :** Remplacer la terminaison du verbe en s'aidant de celle d'un verbe dont l'infinitif n'est pas en *-er* (ex. : *mordre, mordu ; faire, fait*).	❶
er (ou « mordre ») **Je ne voulais pas vous poussez.** *ez (ou « mordez »)* **Attention ! Vous me pousser.**	Un verbe conjugué à la deuxième personne du pluriel est employé à la place d'un verbe à l'infinitif en *-er* et vice versa. ⊃ **Correction :** Remplacer la terminaison du verbe en s'aidant de celle d'un verbe dont l'infinitif n'est pas en *-er* (ex. : *mordre, mordez ; faire, faites*).	❷
Ne pas les dérangers.	Une marque de pluriel est ajoutée au verbe à l'infinitif. ⊃ **Correction :** Supprimer la marque du pluriel.	❸
l' **La navette spatiale est en feu ; on doit ⌃évacuer.** (ÉVACUER QQCH.)	Une expansion obligatoire du verbe à l'infinitif est absente. ⊃ **Correction :** Ajouter l'expansion obligatoire du verbe selon son sens dans la phrase. (*Voir l'unité 2.*)	❹
à **Téléphoner ⌃la centrale serait indiqué.** *à* **On doit procéder de l'évacuation de la navette.** **On doit pallier à la crise.**	L'expansion du verbe à l'infinitif est mal construite. ⊃ **Correction :** Ajouter la bonne préposition, ou encore remplacer ou supprimer la préposition employée à tort. (*Voir l'unité 2.*)	❺

SUITE ▷

▸SUITE

EXEMPLES D'ERREURS	DESCRIPTION ET CORRECTION DES ERREURS	
(<u>Qui est-ce qui</u> participe ?) **Pour participer au voyage,** ~~nous devons dire~~ les candidats doivent ~~aux candidats de~~ **compléter leur inscription.**	La subordonnée infinitive est employée dans un GPrép en début de phrase et son sujet sous-entendu n'est pas le même que le GNs de la phrase matrice. ⊃ **Correction :** Employer dans la phrase matrice le sujet sous-entendu de la subordonnée infinitive ; on peut le trouver à l'aide de la question *Qui est-ce qui… / Qu'est-ce qui…* + V de l'infinitive ?	6
Avant de partir en voyage dans l'espace, nous nous (Qui est-ce qui s'entraîne ?) **devons** s̶'**entraîner physiquement.**	Le pronom du verbe pronominal à l'infinitif n'est pas de la même personne que son sujet sous-entendu. ⊃ **Correction :** Employer un pronom de la même personne que le sujet sous-entendu.	7

🔲 Séance d'échauffement

1 Lisez la phrase suivante, puis cochez les énoncés qui sont justes.

verbe à l'infinitif   verbe à l'infinitif

<u>Remplir</u> le formulaire d'inscription avant de <u>se présenter</u> au test de sélection.

☐ Le verbe à l'infinitif peut être encadré par *ne… pas.*

☐ Le verbe à l'infinitif peut être précédé de *ne pas.*

☐ Le verbe à l'infinitif ne peut pas être précédé d'un déterminant comme *ce, cette, ces, un, deux, trois.*

☐ Le verbe à l'infinitif peut être précédé d'un déterminant.

≡ MON OUVRAGE DE RÉFÉRENCE
TITRE : _____
_____
MOTS CLÉS : *infinitif, verbe à l'infinitif.*
PAGES : _____

2 **a)** Dans les phrases suivantes, soulignez :

- d'un trait les verbes au participe passé qui se terminent par le même son que s'ils étaient à l'infinitif ;

- de deux traits les verbes à l'infinitif.

Les astronautes vivent à proximité les uns et les unes des

autres. Ils ont droit à des loisirs, mais doivent les pratiquer en respectant leurs

≡ MON OUVRAGE DE RÉFÉRENCE
TITRE : _____
_____
MOTS CLÉS : *participe passé, temps composés.*
PAGES : _____

coéquipiers et coéquipières dans la navette. Par exemple, avant l'heure du coucher,

écouter de la musique est toléré. Néanmoins, l'astronaute mélomane ne peut

pas mettre sa musique très fort puisque les autres membres de l'équipage ne sont

postés qu'à quelques mètres de lui ou d'elle.

b) Par quel son se terminent les participes passés soulignés ? _____

c) Au-dessus de chaque verbe en -*er* en **a)**, inscrivez un verbe à l'infinitif qui peut
le remplacer, mais qui ne se termine pas par le même son.

d) Au-dessus de chaque participe passé souligné en **a)**, inscrivez un autre participe
passé, mais dont l'infinitif n'est pas en -*er*.

3 **a)** Dans la lettre ci-dessous, repérez les verbes à l'infinitif soulignés
de deux traits et trouvez leur <u>sujet sous-entendu</u> en répondant
à la question qui figure en couleur dans la colonne de droite.

> ☰ MON OUVRAGE
> DE RÉFÉRENCE
>
> TITRE : _____
> _____
>
> MOTS CLÉS : *groupe du nom sujet
> (GNs), sujet non exprimé, verbe
> pronominal, expansion du verbe.*
>
> PAGES : _____

Chère future voyageuse de l'espace,	Qui est-ce qui informe QQN ?
Nous, les responsables du concours , voudrions **1** vous	_____
	_____
<u>informer</u> que **2** vous <u>participerez</u> bientôt aux dernières	Qui est-ce qui se prépare ?
épreuves de qualification . <u>Veuillez</u> **3** <u>vous préparer</u>	_____
	_____
physiquement à subir des épreuves d'endurance .	Qui est-ce qui confirme QQCH. ?
<u>Auriez</u>- **4** vous l'amabilité de <u>confirmer</u> votre présence	_____
à ces épreuves ?	_____
Au plaisir de **5** vous <u>rencontrer</u> .	Qui est-ce qui rencontre QQN ?
L'équipe responsable du concours	_____
	_____

b) Encerclez le GNs des verbes conjugués soulignés s'il est exprimé dans la phrase.

c) Donnez les numéros des pronoms *vous* qui:

- font partie d'un verbe pronominal: _____
- sont des <u>expansions</u> du verbe: _____

4 Dans les phrases suivantes, identifiez les phrases infinitives. Pour ce faire:

- soulignez de deux traits les 10 verbes à l'infinitif;
- encadrez les 10 GVinf;
- mettez entre crochets les 10 phrases infinitives (ce peut être des subordonnées infinitives).

Ex.: Pour [se laver les dents pendant le voyage], l'astronaute utilise une pâte dentifrice comestible qui ne peut pas [mousser].

> **AU BESOIN,** suivez les étapes suivantes pour délimiter les GVinf.
> ☐ Surlignez les groupes de mots placés après le verbe qui ne peuvent pas être déplacés.
> ☐ Surlignez les pronoms devant le verbe et les groupes après le verbe qui peuvent être remplacés par QQCH./QQN, ou encore par Prép + QQCH./QQN ou par QQPART placé après le verbe.

Dans l'espace , les astronautes peuvent trouver que certaines tâches anodines deviennent difficiles . Par exemple , aller aux toilettes en état d'apesanteur peut être très délicat .

Peut-être seriez-vous intéressés de savoir ce que font les astronautes pour se divertir lorsqu'ils sont en mission dans l'espace ? Voici quelques-unes des activités qu'il leur est possible de faire :

– lire un bon roman et le raconter aux autres astronautes s'ils en ont envie ;

– photographier l'espace , la Terre ou ses coéquipiers et coéquipières en action ;

– observer la Terre de là-haut .

5 Dans les phrases ci-après, relevez le numéro des subordonnées infinitives entre crochets qui :

- prennent la place du GNs : _____

- sont insérées dans un groupe du verbe : _____

- constituent un GPrép avec la préposition qui les précède : _____

Dans l'espace, **1** [nettoyer ses vêtements ou ses cheveux] n'est pas une priorité. Pour **2** [se laver les cheveux], l'astronaute ne peut pas **3** [utiliser beaucoup d'eau et de shampoing]. Il ou elle doit **4** [passer sur ses cheveux un chiffon imbibé d'un shampoing spécialement conçu]. **5** [Prendre des photos dans la navette] est un moyen d' **6** [immortaliser une aventure unique].

Séance d'entraînement

1 Corrigez l'orthographe des verbes à l'infinitif et des participes passés dans les phrases ci-après. ❶et❸

AU BESOIN, suivez les étapes suivantes pour distinguer les verbes à l'infinitif et les participes passés.

☐ Remplacez le verbe par un autre dont l'infinitif n'est pas en -er (ex. : faire, fait ; mordre, mordu).

☐ Si le verbe peut être remplacé par un verbe à l'infinitif (ex. : faire ; mordre), soulignez-le de deux traits et assurez-vous qu'il se termine par -er, -ir, -re ou -oir et qu'il n'est pas mis au pluriel.

☐ Si le verbe peut être remplacé par un participe passé (ex. : fait ; mordu), soulignez-le d'un seul trait et vérifiez sa terminaison et son accord (voir l'unité 10).

Attention, erreurs !

Toutes sortes d'expériences sont effectuer dans les vaisseaux spatiaux. Ces

expériences ont différentes visées. Par exemple, tester la façon dont les plantes

se développent en état d'apesanteur, observé si des animaux peuvent naîtres

dans l'espace, vérifié si les araignées peuvent tissé des toiles et si elles réussissent

à les tissers aussi solides et bien organisées que sur la terre, ou encore étudier

• • •

℮ ....

les effets de l'apesanteur sur le corps humain. En 1990, une expérience a prouver

que des œufs pouvaient éclorent dans l'espace. D'autres expériences ont pu

démontré que le fait de rester en apesanteur pouvait causé certains troubles

physiologiques chez l'humain, comme l'affaiblissement des muscles, qui peut être

limiter par l'exercice physique régulier.

---

2 Remplacez les phrases impératives ci-dessous par des phrases infinitives. S'il y a lieu, **1à3** remplacez les déterminants ou les pronoms de la deuxième personne par d'autres de la troisième personne.

Ex. : *Ouvrez grandes **vos** oreilles et détendez-**vous**.* → *Ouvrir grandes ses oreilles et se détendre.*

Marche à suivre pour prendre un repas dans l'espace

1 Choisissez le sac emballé sous vide de bœuf à la sauce aigre-douce ou de ragoût de poulet en morceaux et placez-le dans le réchaud.

_____

_____

_____

2 Grâce au trou situé à l'extrémité de vos couverts, attachez-les à votre plateau.

_____

_____

3 Prenez votre plateau et assoyez-vous confortablement.

_____

4 Placez votre plateau sur vos genoux et fixez-le à l'aide des bandes velcro.

_____

_____

5 Dégustez votre plat tranquillement et désaltérez-vous avec une boisson au citron, mais n'oubliez pas de refermer l'embouchure du contenant entre chaque gorgée.

_____

_____

_____

3 **a)** Encadrez les GVinf contenus dans les phrases infinitives entre crochets qui suivent. **4 et 5**

b) À l'aide des GVinf en couleur, vérifiez la construction de ceux que vous avez encadrés dans les phrases et corrigez-les, s'il y a lieu.

Attention, e rreurs !

En 1967, lors d'une répétition du lancement du vaisseau spatial *Apollo 1*,

trois astronautes ont péri dans un incendie : ils n'ont pas pu **1** [ouvrir
OUVRIR QQCH.

la porte de la capsule pour **2** [quitter à temps]. On a dû ensuite
QUITTER QQCH.

3 [redessiner]. Les observateurs de ce tragique incident auraient voulu
REDESSINER QQCH.

4 [secourir], mais [comment **5** aider] ?
SECOURIR QQN   AIDER QQN

En 1971, de retour d'un voyage de 23 jours en orbite, trois cosmonautes

russes **6** [approchaient la terre à toute vitesse]. À un moment, ils ont senti
APPROCHER DE QQCH.

7 [l'air s'échapper sur leur capsule], mais les trois hommes ne portaient
S'ÉCHAPPER DE QQCH.

pas de combinaison spatiale. Ils sont morts avant d' **8** [atterrir sur la terre].
ATTERRIR

4 **a)** Dans les parenthèses qui suivent les phrases numérotées, encerclez le GN en **6** couleur qui est le sujet sous-entendu du verbe à l'infinitif souligné.

b) Complétez chaque phrase à l'aide de ce GN et d'un GV de votre choix.

1 Avant d'envoyer des humains dans l'espace, _____

_____

(Sujet sous-entendu : les astronautes ou les scientifiques ?)

2 Avant de partir en voyage dans l'espace, _____

_____

(Sujet sous-entendu : les astronautes ou les scientifiques ?)

3 Pour <u>être</u> prêts à la venue de l'astronaute québécoise à notre école, _____

_____

(Sujet sous-entendu : elle , nous ou on ?)

4 Afin de <u>répondre</u> à mes questions et à celles de mes camarades sur la façon

de devenir astronaute, _____

_____

(Sujet sous-entendu : nous ou notre enseignante ?)

5 **a)** Au-dessus des verbes pronominaux entre parenthèses, inscrivez leur sujet sous-entendu. **6 et 7**

b) Employez le verbe pronominal à l'infinitif dans la phrase et choisissez un pronom de la même personne que le sujet sous-entendu.

(nous)
Ex. : *Il faut <u>nous faire</u>* (se faire) *à l'idée que nous n'irons pas en vacances sur Mars d'ici peu.*

1 Nous sommes fascinées par l'idée que nous pourrons peut-être un jour voyager

dans l'espace comme si nous étions en train de _____

(*se déplacer*) en avion.

2 Avant de _____ (*s'endormir*) ce soir, imaginez-vous

dans l'espèce de fauteuil volant utilisé par les astronautes pour _____

(*se propulser*) dans l'espace hors de leur appareil et y revenir ensuite.

6 Dans la lettre ci-dessous, soulignez de deux traits les verbes à l'infinitif et mettez les phrases infinitives entre crochets. Répondez ensuite aux questions **a)** à **c)**. **5 à 7**

Chère Rosie,

Pour bien **nous** reconnaître lors de l'expédition , <u>nous devrons</u> porter un brassard rouge par-dessus notre combinaison . Pourrais-tu **le** dire aux autres membres ?

P.S. Confirmer sa présence avant jeudi soir .

Carlos

a) Pourquoi a-t-on employé le pronom *nous* en gras plutôt que le pronom *se*?

_____

_____

b) Quelle est la <u>classe</u> et la <u>fonction</u> du mot *le* en gras devant le verbe *dire*? Pourrait-on supprimer ce mot? Justifiez votre réponse.

_____

_____

_____

c) La partie de phrase soulignée en couleur pourrait-elle être remplacée par la suivante: *les membres devront*? Justifiez votre réponse.

_____

_____

_____

7 **a)** Dans l'extrait de lettre ci-dessous, numérotez de 1 à 6 les verbes à l'infinitif et les participes passés qui se terminent par le son « é ». ⟨1à3⟩

Monsieur,

Nous voulons vous informer qu'on vous a sélectionné pour un voyage de simulation d'un atterrissage en catastrophe. Avec deux autres astronautes, vous vous rendrez dans la jungle du Panama et devrez vous débrouiller. Vous serez obligé de trouver des feuilles et des branchages et de les **rassembler** pour construire un abri. Vous y passerez trois nuits.

b) Pour justifier l'orthographe de la terminaison des verbes numérotés, remplacez-les par un verbe dont l'infinitif n'est pas en *-er*.

1 _____dire_____ ; **2** _____ ; **3** _____ ; **4** _____ ;

5 _____ ; **6** _____ .

c) Soulignez les verbes conjugués à la deuxième personne du pluriel et encerclez leur GNs.

d) Pourquoi ne pas avoir ajouté *s* ou *nt* à la fin du verbe en gras?

_____

_____

⊞ Qualification pour l'épreuve finale

1 Complétez la révision du texte à l'aide des pistes de révision ci-dessous. Cochez une case si la piste de révision vous a permis de corriger des erreurs. Les autres cases vous serviront au numéro **2**.

◉ PISTES DE RÉVISION

Orthographe

☐ ☐ Remplacer le verbe à l'infinitif ou le participe passé par un verbe dont l'infinitif n'est pas en *-er* et vérifier son orthographe.

☐ ☐ Surligner la finale des mots qui se terminent par le son « é » et vérifier leur orthographe.

Grammaire de la phrase

☐ ☐ Souligner de deux traits le verbe à l'infinitif; souligner aussi le pronom du verbe pronominal et s'assurer qu'il est de la même personne que le sujet sous-entendu.

☐ ☐ Mettre entre crochets la phrase infinitive ou la subordonnée infinitive et vérifier la construction du GVinf en le décrivant en majuscules.

☐ ☐ Si la phrase infinitive est dans un GPrép en début de phrase, trouver le sujet sous-entendu et l'employer comme GNs de la phrase matrice.

Attention, ⊖rreurs !

     (Qui est-ce qui oberve… ?)   plusieurs pays lancent des satellites
Pour [observ*é*er notre planète] , des satellites sont lancés par plusieurs pays en
      OBSERVER QQCH.

orbite autour de la Terre . À ce jour , on peut [en voir [plus de mille évolue*rs* à
                       VOIR QQCH.   ÉVOLUER QQPART

quelques milliers de kilomètres de la Terre]]. Les satellites offrent de multiples

possibilités . Par exemple , ils pourraient vous donn*ez* la chance de se faire opérer
                               DONNER QQCH.   SE FAIRE OPÉRER

à distance . En effet , un chirurgien a déjà pratiqu*er* une opération en dirigeant

• • •

les instruments chirurgicaux à partir de son ordinateur qui transmettait les données

par satellites . Voici plusieurs autres utilités des satellites :

- transmettre sur des émissions de télévision en direct ;
  TRANSMETTRE QQCH.

- nous donné accès au monde entier ;
  DONNER QQCH. À QQN

- étudiez l'atmosphère terrestre ;
  ÉTUDIER QQCH.

- prévoir aux bouleversements météorologiques ;
  PRÉVOIR QQCH.

- étudier les animaux et les suivres lors de leur migration .
  ÉTUDIER QQCH.   SUIVRE QQCH.

---

2 **a)** Choisissez un des parcours suivants et, sur une feuille mobile, écrivez votre texte que vous réviserez à l'aide des pistes de révision données au numéro **1**. Cochez une case chaque fois qu'une piste de révision vous permet de corriger une erreur.

Parcours narratif

Écrivez une courte péripétie que pourrait vivre un équipage d'astronautes en voyage vers Pluton, la plus éloignée des planètes du système solaire. Incluez dans votre texte une liste de recommandations en cas d'urgence. Cette liste doit être constituée de phrases infinitives.

Parcours explicatif

Écrivez un court texte dans lequel vous expliquez aux membres de votre famille pourquoi vous avez choisi de les quitter et de partir en voyage dans l'espace pour un an. Dressez ensuite une liste de tâches qu'ils devront accomplir pour vous, durant votre absence. La liste doit être constituée de phrases infinitives.

b) Dans la grille de révision qui suit, insérez les pistes de révision qui vous ont été les plus utiles. Vous pouvez les personnaliser et en ajouter. Dans la colonne de droite, inscrivez les pages de vos ouvrages de référence et quelques trucs.

VERS UNE GRILLE DE RÉVISION

QUELQUES PISTES DE RÉVISION	MES OUTILS ET MES TRUCS
GRAMMAIRE DE LA PHRASE	
ORTHOGRAPHE	

La subordonnée circonstancielle

Peu importe le type de texte qu'on écrit, on a besoin de situer les actions, les faits, les phénomènes ou les événements dans le temps ; d'en indiquer le but, la cause ou la conséquence ; de faire leur comparaison avec d'autres éléments semblables ou qui s'en éloignent, etc. La phrase subordonnée circonstancielle est une des ressources de la langue pour y parvenir.

Synthèse des connaissances

Tout en lisant, surlignez les éléments qui vous semblent essentiels pour bien comprendre comment se construisent les différentes subordonnées circonstancielles.

La subordonnée circonstancielle est une phrase syntaxique : GNs + GV + (Gcompl. P) qui commence par une **conjonction de temps, de but, de cause, de conséquence, de comparaison**, etc. (ex. : *lorsque, pour que, de sorte que*). Cette conjonction a la fonction de <u>subordonnant</u>.

Sub. circ. de temps

subor- donnant	GNs	GV

Ex. : *Nous devons bien nous alimenter* **quand** *nous* *sommes en période de croissance*.

La subordonnée circonstancielle ne peut pas fonctionner seule : elle dépend généralement du GNs et du GV de la phrase matrice (la phrase dans laquelle elle se trouve). Elle a donc généralement la fonction de <u>complément de phrase</u>.

phrase matrice

GNs	GV	Sub. circ. compl. de P

Ex. : *Nous* *devons bien nous alimenter* *quand nous sommes en période de croissance*.

Ajoutez ci-dessous une phrase avec une subordonnée circonstancielle de but.

Ex. : _____

_____

Ponctuation

RÈGLE : Comme tout autre complément de phrase, la subordonnée circonstancielle est détachée par la virgule si elle est déplacée par rapport au modèle de la PHRASE DE BASE : [GNs] + [GV] + [(Gcompl. P)].

Ajoutez les virgules dans les espaces.

- La subordonnée circonstancielle est **suivie d'une virgule** si elle est au début de la phrase.

    Ex. : *Parce qu'ils ne s'alimentent pas suffisamment ☐ certains enfants développent des maladies.*

- La subordonnée circonstancielle est **encadrée de deux virgules** si elle est déplacée ailleurs.

    Ex. : *Certains enfants ☐ parce qu'ils ne s'alimentent pas suffisamment ☐ développent des maladies.*

La subordonnée circonstancielle de cause

La subordonnée circonstancielle de cause **permet d'énoncer la cause, la raison ou la justification** d'un fait ou d'un phénomène.

Dans cette subordonnée circonstancielle, un subordonnant de cause précise que ce qui est dit dans la subordonnée est la **cause de ce qui est exprimé dans le reste de la phrase**.

SUBORDONNÉE CIRCONSTANCIELLE DE CAUSE	
Subordonnants	**Exemple**
parce que, du fait que, comme, vu que, attendu que, étant donné que	*Certains enfants développent des maladies étant* mode indicatif* *donné qu'ils ne s'alimentent pas suffisamment.*

_____

* *Pour le **mode du verbe** utilisé dans la subordonnée circonstancielle, consulter la fiche 9.*

▶▶ **REMARQUE** La subordonnée circonstancielle de cause qui commence par *comme* a une **place fixe en début de phrase**.

　　　Comme *ils ne s'alimentent pas suffisamment,*
Ex. : ∧*certains enfants développent des maladies ~~comme ils ne s'alimentent pas suffisamment~~.* ◀◀

La subordonnée circonstancielle de conséquence

La subordonnée circonstancielle de conséquence **permet d'exprimer un effet produit, un résultat**.

Dans cette subordonnée circonstancielle, un subordonnant de conséquence précise que ce qui est dit dans la subordonnée est la **conséquence de ce qui est exprimé dans le reste de la phrase**. Lorsque la conséquence est liée à l'intensité ou au degré d'un élément exprimé précédemment dans la phrase, ce sont les subordonnants *que* ou *pour que* et un mot d'intensité ou de degré qui précisent qu'il s'agit d'une conséquence.

SUBORDONNÉE CIRCONSTANCIELLE DE CONSÉQUENCE	
Subordonnants	**Exemple d'une subordonnée qui exprime une conséquence de ce qui est exprimé dans le reste de la phrase**
de façon que, de sorte que, de manière que, au point que, à tel point que, à un point tel que, si bien que	*Certains enfants ne s'alimentent pas suffisamment de sorte* mode indicatif* *qu'ils <u>développent</u> des maladies.*

Mots d'intensité ou de degré	Subordonnants	Exemples de subordonnées qui expriment une conséquence liée à l'intensité ou au degré d'un élément exprimé précédemment
tel / telle / tels… *tant…* *tellement…* *si…* *aussi… etc.*	*que*	mode indicatif* *Certains enfants s'alimentent **tellement** mal qu'ils <u>développent</u> des maladies.*
assez… *suffisamment…* *trop…*	*pour que*	*Les maladies développées par certains enfants sont parfois **trop** graves pour qu'ils <u>parviennent</u> à l'âge adulte.* mode subjonctif*

* *Pour le **mode du verbe** utilisé dans la subordonnée circonstancielle, consulter la fiche 9.*

La subordonnée circonstancielle de conséquence ne fonctionne pas comme la majorité des compléments de phrase : elle a généralement une **place fixe en fin de phrase** (où elle est parfois précédée d'une virgule).

Ex. : ~~De sorte qu'ils développent des maladies, c~~ertains enfants ne s'alimentent pas

suffisamment~de sorte qu'ils développent des maladies~.

▶ **REMARQUE** La subordonnée circonstancielle de conséquence qui commence par *que* ou *pour que* n'a pas la fonction de complément de phrase, mais celle de **modificateur**, comme le mot d'intensité avec lequel elle est en relation. (On l'appelle aussi *subordonnée corrélative*.)

modif. de l'Adv
Ex. : *Certains enfants s'alimentent* | **tellement** | *mal* | *qu'ils développent des maladies* |.

La subordonnée circonstancielle de comparaison

La subordonnée circonstancielle de comparaison **permet de mettre en relation deux éléments en faisant ressortir leurs ressemblances ou leurs différences**. Dans certains cas, elle implique une manière de faire.

Dans cette subordonnée circonstancielle, un subordonnant de comparaison ou des mots de degré et le subordonnant *que* permettent d'établir une **comparaison entre des personnes, des choses**, etc.

© 2002, Les Éditions CEC inc. • **Reproduction interdite**

SUBORDONNÉE CIRCONSTANCIELLE DE COMPARAISON	
Subordonnants	**Exemples**
ainsi que, comme, autant que, bien plus que, davantage que, bien moins que, de même que	*La qualité de l'eau dans certaines régions inquiète bien plus que* mode indicatif* *peut inquiéter la quantité d'eau disponible.*

Mots de degré	Subordonnants	
davantage… autant… moins… aussi… plus… meilleur… pire… même…	que	*L'eau est une ressource **aussi** indispensable que la nourriture* mode indicatif* *peut l'être.*

* *Pour le **mode du verbe** utilisé dans la subordonnée circonstancielle, consulter la fiche 9.*

La subordonnée circonstancielle de comparaison ne fonctionne pas comme la majorité des compléments de phrase : elle a généralement une **place fixe en fin de phrase** (où elle est parfois précédée d'une virgule).

Ex. : *Cette jeune fille suit un régime, comme l'a fait sa mère avant elle.*

▶ **REMARQUE** La subordonnée circonstancielle de comparaison qui commence par *que* n'a pas la fonction de complément de phrase, mais celle de **modificateur**, comme le mot de degré avec lequel elle est en relation. (On l'appelle aussi *subordonnée corrélative.*)

modif. de l'Adj
Ex. : *L'eau est une ressource* ⌐aussi⌐ *indispensable* ⌐que la nourriture peut l'être⌐. ◀

Le GV de la subordonnée circonstancielle de comparaison comprend souvent des **éléments créant une répétition** qui peuvent être effacés.

Ex. : *L'eau est une ressource **aussi** indispensable que la nourriture ~~peut l'être~~.*

▶ **REMARQUE** Dans une comparaison, les éléments comparés doivent être **comparables** et **semblables** sur le plan du sens. Par exemple, dans l'exemple ci-dessous, on doit comparer les fruits et les légumes avec les fruits et les légumes, pas avec les gens.

Ex. : ***Dans certains pays, les fruits et les légumes** ne font pas partie de l'alimentation de tous*

comme ils en font partie chez nous
les jours ~~comme nous~~. ◀

Quelques erreurs fréquentes

Voici des erreurs fréquentes liées à l'emploi des subordonnées circonstancielles. Après les séances d'exercices qui suivent, vous serez en mesure d'éviter de telles erreurs ou de les corriger dans vos textes. Consultez le tableau en tout temps et particulièrement dans la séance d'entraînement quand vous verrez le pictogramme (0) correspondant à chaque cas d'erreur.

Tout en lisant la description et la correction des erreurs, surlignez ce qui pourrait vous être utile lorsque vous réviserez vos textes.

EXEMPLES D'ERREURS	DESCRIPTION ET CORRECTION DES ERREURS	
Nous gaspillons parfois beaucoup d'eau au Québec ~~alors qu'~~ (de sorte qu') un jour nous n'en aurons plus suffisamment.	Le subordonnant au début de la subordonnée circonstancielle est mal choisi. ➲ **Correction :** Choisir un subordonnant qui convient au sens exprimé par la subordonnée et au registre de langue standard (ex. : ne pas employer *ça fait que*).	1
Comme ~~que~~ je vous le disais, l'eau potable et la nourriture sont essentielles à la survie.	Le subordonnant *quand* ou *comme* est suivi de *que* (ou *qu'*). ➲ **Correction :** Supprimer le mot *que* en trop.	2
On trouve peu de lacs où l'eau est suffisamment propre pour qu'on ~~peut~~ (puisse) la boire.	Le verbe de la subordonnée est au mauvais mode. ➲ **Correction :** Mettre le verbe au mode subjonctif s'il s'agit, notamment, d'une subordonnée circonstancielle de temps qui commence par *avant que, jusqu'à ce que,* d'une circonstancielle de but ou d'une circonstancielle de conséquence qui commence par *pour que.* Dans la plupart des autres cas, mettre le verbe au mode indicatif. (*Voir la fiche* 9.)	3
Un jour, nous n'aurons plus suffisamment d'eau potable/ ~~Parce~~ (parce) que nous l'aurons gaspillée.	La subordonnée circonstancielle est séparée par un point du reste de la phrase matrice. ➲ **Correction :** Insérer la subordonnée dans la phrase matrice en supprimant le point et la majuscule.	4
Les parents de Sandro, parce qu'ils ont beaucoup d'argent, offrent le dîner aux élèves dont les parents sont moins fortunés.	Il manque une ou deux virgules pour marquer le déplacement de la subordonnée par rapport au modèle de la PHRASE DE BASE. ➲ **Correction :** Détacher la subordonnée à l'aide d'une virgule si elle est en début de phrase et à l'aide de deux virgules si elle est placée ailleurs qu'en début ou qu'en fin de phrase.	5

Séance d'échauffement

1 **a)** À partir de chacune des phrases suivantes, construisez une
question commençant par *Quand…?* ou par *Dans quel but/
Pour quelle raison…?* La réponse à cette question doit être
la construction en gras.

= MON OUVRAGE
DE RÉFÉRENCE

TITRE: _____
_____

MOTS CLÉS: *(phrase) subordonnée,
subordonnant, groupe du nom sujet,
groupe du verbe.*

PAGES: _____

1 **Pour vivre et se développer normalement**, un enfant doit
avoir une ration alimentaire minimale.

_____

_____

2 On dit qu'une personne souffre de malnutrition **lorsqu'elle a une alimentation
non équilibrée et presque identique jour après jour**.

_____

_____

3 Les protéines, les vitamines et les sels minéraux doivent faire partie de
l'alimentation d'un enfant **pour qu'il soit en bonne santé**.

_____

_____

_____

4 **Dans les premières années de sa vie**, un enfant peut survivre grâce au lait
maternel.

_____

_____

5 **Même après avoir terminé leur croissance**, les gens devraient continuer à avoir
une alimentation équilibrée.

_____

_____

b) À l'aide des questions que vous avez formulées, relevez le numéro des phrases dans
lesquelles la construction en gras exprime:

▪ le temps: _____

▪ le but: _____

c) Pour prouver que les éléments en gras dans les phrases **2** et **3** sont des subordonnées circonstancielles (de temps ou de but), transcrivez-les dans les cases ci-dessous.

SUBORDONNANT	+	GNs	+	GV

2

3

2 **a)** À partir de chacune des phrases suivantes, complétez les débuts de questions et répondez-y dans les tableaux ci-dessous.

1 Nous ressemblons physiquement à nos parents **parce qu'ils nous ont transmis des caractères héréditaires**.

QUESTIONS	RÉPONSES
Pour quelle raison _____ _____ _____ ?	La raison, la **cause** est _____ _____ _____ .
Quelle est la conséquence, le résultat _____ _____ _____ ?	La **conséquence** est _____ _____ _____ .

2 **À cause d'un manque de protéines**, certains enfants souffrant de malnutrition ont le ventre bombé.

QUESTIONS	RÉPONSES
Pour quelle raison _____ _____ ?	La raison, la **cause** est _____ _____ .
Quelle est la conséquence, le résultat _____ _____ ?	La **conséquence** est _____ _____ .

3 C'est un manque de protéines qui **cause le ventre bombé de certains enfants souffrant de malnutrition.**

QUESTIONS	RÉPONSES
Pour quelle raison _____ _____ ?	La raison, la **cause** est _____ _____ .
Quelle est la conséquence, le résultat _____ ?	La **conséquence** est _____ _____ .

4 L'activité physique ne se traduit pas toujours par une perte de poids **étant donné que les muscles sont plus lourds que les graisses.**

QUESTIONS	RÉPONSES
Pour quelle raison _____ _____ _____ ?	La raison, la **cause** est _____ _____ _____ .
Quelle est la conséquence, le résultat _____ _____ _____ ?	La **conséquence** est _____ _____ _____ .

5 Les enfants japonais émigrés aux États-Unis après la Seconde Guerre mondiale ont eu une alimentation plus variée que celle de leurs cousins restés au Japon **si bien que leur taille a dépassé de 10 centimètres la taille de ces derniers.**

QUESTIONS	RÉPONSES
Pour quelle raison _____ _____ _____ ?	La raison, la **cause** est _____ _____ _____ .
Quelle est la conséquence, le résultat _____ _____ _____ ?	La **conséquence** est _____ _____ _____ .

6 Plusieurs Américains ont une alimentation tellement grasse **qu'ils souffrent d'obésité**.

QUESTIONS	RÉPONSES
Pour quelle raison _____ _____ ?	La raison, la **cause** est _____ _____ .
Quelle est la conséquence, le résultat _____ _____ ?	La **conséquence** est _____ _____ .

b) À l'aide des questions et des réponses précédentes, relevez le numéro des phrases dans lesquelles la construction en gras exprime :

- la cause : _____

- la conséquence : _____

c) Pour prouver que les constructions en gras dans les phrases **1**, **4**, **5** et **6** sont des subordonnées circonstancielles (de cause ou de conséquence), transcrivez-les dans les cases ci-dessous.

SUBORDONNANT	+	GNs	+	GV

1

4

5

6

d) Avec quel mot d'intensité la subordonnée en *que* (*qu'*) dans la phrase **6** est-elle en relation ? _____

3 **a)** Soulignez les éléments comparés dans chacune des phrases suivantes et indiquez, dans les parenthèses, si l'on parle d'une ressemblance ou d'une différence.

AU BESOIN, consultez un dictionnaire.

1 La taille que nous pouvons atteindre est un caractère héréditaire **comme le sont la couleur de notre peau et notre groupe sanguin.** (_____)

2 Les enfants des pays en voie de développement **à l'instar de ceux des pays plus riches** devraient avoir droit à une alimentation saine et équilibrée.
(_____)

3 La digestion des protéines requiert plus d'énergie **que n'en requiert la digestion des glucides ou des lipides.** (_____)

4 **Contrairement aux pays pauvres,** les pays riches, comme les États-Unis, recensent de plus en plus de problèmes de santé liés à la suralimentation.
(_____)

5 On trouve des enfants sous-alimentés dans les pays riches, **ainsi qu'on en trouve dans les pays pauvres.** (_____)

b) Transcrivez ci-dessous les trois comparaisons qui sont faites à l'aide d'une subordonnée circonstancielle de comparaison.

SUBORDONNANT	+	GNs	+	GV

c) Avec quels mots de degré la subordonnée en _que_ dans la phrase **3** est-elle en relation ?

_____

d) Comparez les trois phrases suivantes aux phrases **1**, **3** et **5** précédentes. Quel élément habituellement essentiel dans une phrase a-t-on supprimé dans les trois constructions en gras ? _____

  1 La taille que nous pouvons atteindre est un caractère héréditaire **comme la couleur de notre peau et notre groupe sanguin.**

  3 La digestion des protéines requiert plus d'énergie **que la digestion des glucides ou des lipides.**

  5 On trouve des enfants sous-alimentés dans les pays riches, **ainsi que dans les pays pauvres.**

4 **a)** Cochez les caractéristiques qui s'appliquent généralement à un élément ayant la fonction de complément de phrase (Gcompl. P).

  ☐ Il peut être effacé.

  ☐ Il peut être déplacé.

  ☐ Il peut être remplacé par un pronom.

  ☐ Il peut être employé après *et cela.*

  ☐ Il peut fonctionner seul.

  ☐ Il exprime les circonstances dans lesquelles se déroule une action ou un événement.

> ≡ MON OUVRAGE DE RÉFÉRENCE
>
> TITRE : _____
>
> _____
>
> MOTS CLÉS : *complément de phras[e] subordonnée circonstancielle.*
>
> PAGES : _____

b) Les subordonnées circonstancielles entre crochets dans les phrases suivantes ont des caractéristiques qui ne s'appliquent pas à la majorité des compléments de phrase. Quelles sont ces caractéristiques ?

Sub. circ. de conséquence

  1 Philippe n'a mangé que des bons aliments durant sa croissance, [si bien qu'il dépasse son père et sa mère de plusieurs centimètres].

Sub. circ. de comparaison

  2 Les aliments nous permettent de grandir [comme les minéraux permettent aux plantes de pousser].

_____

_____

5 **a)** Séparez chacune des phrases suivantes en ses trois groupes constituants. Pour ce faire :

  ■ encerclez le GNs ;

  ■ surlignez le GV ;

  ■ mettez entre parenthèses le ou les Gcompl. P.

  1 Les mammifères , dont les humains , boivent du lait maternel à la naissance de sorte qu'ils n'ont pas besoin d'autre nourriture pendant plusieurs mois .

2 Les êtres humains et les animaux , parce que leurs cellules se

multiplient , voient leur corps grandir et se développer .

3 Comme vous vous intéressez aux animaux , vous pouvez sans doute

nommer un mammifère marin bien connu .

b) Dans les phrases précédentes, mettez entre crochets les subordonnées circonstancielles de cause, de conséquence et de comparaison. Que constatez-vous ?

_____

_____

c) Observez l'emploi de la virgule dans les phrases en **a)**, puis complétez les énoncés suivants.

- Lorsque la subordonnée circonstancielle est _____
_____, elle est détachée à l'aide d'une virgule.

- Lorsque la subordonnée circonstancielle est _____
_____, elle est encadrée de virgules.

Séance d'entraînement

1 **a)** Dans les phrases suivantes, mettez les subordonnées circonstancielles entre crochets et encadrez leur subordonnant.

> **AU BESOIN**, suivez les étapes suivantes pour délimiter les subordonnées circonstancielles.
>
> ☐ Soulignez les verbes conjugués.
>
> ☐ Repérez un subordonnant circonstanciel devant un GNs et un GV et encadrez-le.
>
> ☐ Mettez un crochet ouvrant ([) devant le subordonnant.
>
> ☐ Mettez un crochet fermant (]) à la fin de la subordonnée, c'est-à-dire après le regroupement GNs + GV + (Gcompl. P) qui suit le subordonnant.
>
> ☐ Vérifiez s'il s'agit d'une subordonnée circonstancielle en vous assurant qu'elle peut être effacée.

1 Plusieurs enfants ont de la difficulté à se concentrer à l'école

parce qu'ils n'ont pas mangé suffisamment . Sub. circ. de _____)

2 À la fin du XIXe siècle, le conseil de la ville de Montréal privait les familles d'eau lorsqu'elles n'avaient pas payé la taxe annuelle liée à ce service essentiel. (Sub. circ. de _____)

3 Encore aujourd'hui, dans plusieurs pays, l'accès à l'eau potable est très difficile comme cela pouvait l'être à la fin du XIXe siècle dans certaines villes du Québec. (Sub. circ. de _____)

4 À la fin du XIXe siècle, des familles montréalaises vivaient sans eau courante de sorte qu'elles ne pouvaient ni boire d'eau potable ni se laver ni laver leurs aliments. (Sub. circ. de _____)

5 Pour que plus d'enfants aient un régime alimentaire équilibré, des nutritionnistes offrent aux parents des rencontres culinaires dans des écoles. (Sub. circ. de _____)

6 Éliane aime beaucoup lire, comme elle adore manger.

(Sub. circ. de _____)

7 Comme elle aime lire et manger, son amie lui a offert un guide de nutrition. (Sub. circ. de _____)

8 Comme Éliane se promenait dans le parc, il s'est mis à neiger.

(Sub. circ. de _____)

b) Dans les parenthèses en fin de phrase, indiquez de quelle sorte de subordonnée circonstancielle il s'agit.

> ## AU BESOIN, employez les débuts de questions suivants pour déterminer de quelle sorte de circonstancielle il s'agit:
>
> ☐ *Quand…?* ou *À quel **moment**…?* Une circonstancielle de temps y répondra.
>
> ☐ *Dans quel **but**…?* Une circonstancielle de but y répondra.
>
> ☐ *Pour quelle raison…?* ou *Quelle est la **cause** de…?* Une circonstancielle de cause y répondra.
>
> ☐ *Quel est le résultat…?* ou *Quelle est la **conséquence** de…?* Une circonstancielle de conséquence y répondra.

c) Au-dessus de chaque subordonnant encadré, inscrivez-en un autre de sens équivalent.

2 **a)** Encadrez le subordonnant dans chaque subordonnée circonstancielle entre crochets et soulignez, s'il y a lieu, les mots d'intensité ou de degré avec lesquels la subordonnée est en relation. `1 et 3`

b) Au-dessus du verbe de la subordonnée, inscrivez son mode (indicatif ou subjonctif).

1 La rougeole est une maladie enfantine beaucoup plus grave [que peuvent l'être la varicelle et les oreillons]. (Sub. circ. de _____)

2 Le vaccin contre la rougeole est si rare dans certains pays en voie de développement [que plusieurs enfants meurent de cette maladie chaque année]. (Sub. circ. de _____)

3 Les complications liées à la rougeole sont suffisamment inquiétantes [pour que certains États, comme le Sénégal, choisissent d'investir dans des projets de vaccination massive]. (Sub. circ. de _____)

4 L'Unicef et l'Organisation mondiale de la santé ont amorcé une campagne [pour que la majorité des femmes enceintes et des enfants soient vaccinés contre la rougeole, entre autres]. (Sub. circ. de _____)

c) Dans les parenthèses en fin de phrase, indiquez s'il s'agit d'une subordonnée de conséquence, de comparaison ou de but.

3 **a)** Dans les parenthèses en fin de phrase, cochez le rapport de sens que devrait exprimer, logiquement, la subordonnée entre crochets, puis, au-dessus du subordonnant barré, inscrivez : (1et2)

- la lettre **S** s'il est barré parce que son **sens** ne convient pas ;

- la lettre **F** s'il est barré parce que son emploi est considéré comme appartenant à la <u>langue familière</u>.

Attention, erreurs !

1 Sébastien ne veut pas aller en Afrique [à cause qu'il a peur de recevoir les vaccins obligatoires]. (□ cause ou □ conséquence ?)

2 Éliane a fait beaucoup de fièvre à cause de ses vaccins [étant donné qu'elle a dû retarder son voyage]. (□ cause ou □ conséquence ?)

3 Dans certains pays, les mauvaises conditions d'hygiène sont propices aux

maladies, [comme qu'elles pouvaient l'être au Québec il y a 100 ans].
(□ cause ou □ comparaison ?)

4 Lajos a beaucoup aimé son voyage en Europe de l'Est, [ça fait qu'il y retournera l'an prochain]. (□ cause ou □ conséquence ?)

5 Akosh est resté deux semaines de plus que prévu au Japon [si bien qu'un volcan en éruption empêchait les avions de décoller]. (□ cause ou □ conséquence ?)

b) Au-dessus du subordonnant barré, inscrivez-en un qui est approprié.

4 **a)** Soulignez, s'il y a lieu, les mots de degré ou d'intensité en relation avec la subordonnée entre crochets. (1et3)

b) Dans les parenthèses en fin de phrase, cochez le rapport de sens exprimé par la subordonnée et inscrivez le subordonnant approprié au début de chaque subordonnée.

1 Dans des régions très pauvres de l'Afrique ou de l'Asie, la vaccination est difficile
[_____ les habitants sont très loin des services de santé].
(□ cause ou □ conséquence ?)

2 Dans certaines régions, la chaleur moyenne à l'ombre est de 40 °C
[_____ les vaccins, qui doivent généralement être conservés
entre 0 et 8 °C, sont moins efficaces]. (□ cause ou □ conséquence ?)

3 Dans un vaccin, les cellules du microbe ont été affaiblies [_____ elles ne causent pas la maladie]. (□ conséquence ou □ but ?)

4 Les microbes dont on se sert pour fabriquer un vaccin sont moins virulents [_____ ne le seraient les microbes de la maladie transmise par contagion]. (□ conséquence ou □ comparaison ?)

5 Après avoir reçu un vaccin, une personne est censée produire assez d'anticorps [_____ le microbe ne réussisse pas à se développer dans son organisme]. (□ conséquence ou □ comparaison ?)

c) Relevez les deux verbes qui sont au mode subjonctif dans les cinq subordonnées circonstancielles précédentes.

_____

_____

P **5** **a)** Construisez deux phrases à partir des trois constructions données, puis mettez entre crochets la subordonnée circonstancielle dans vos phrases. Si la subordonnée est en relation avec des mots de degré ou d'intensité, soulignez ces mots.
4 et 5

Portez une attention particulière à la ponctuation liée à la place des subordonnées circonstancielles dans vos phrases.

1 ■ le plus connu des antibiotiques est la pénicilline

■ pour que notre organisme réussisse à vaincre certaines infections

■ les médecins prescrivent à l'occasion cet antibiotique

_____

_____

_____

_____

2 ■ certaines infections sont trop graves

■ pour qu'on puisse les guérir avec de la pénicilline

■ le médecin doit alors trouver le traitement approprié pour chaque patient selon son infection

_____

_____

_____

_____

3 ■ certaines personnes prennent de la pénicilline si souvent

■ qu'elles développent des bactéries résistantes à cet antibiotique

■ elles doivent par la suite prendre des antibiotiques plus puissants

_____

_____

_____

_____

_____

4 ■ le savon est généralement constitué à partir d'un corps gras d'origine végétale

■ comme il permet de réduire le nombre de bactéries qui vivent sur notre peau

■ il fait partie de l'hygiène de base conseillée à la plupart des gens

_____

_____

_____

_____

_____

5 ■ plusieurs produits réduisent le nombre de bactéries vivant sur notre peau

■ comme le fait le savon

■ certains de ces produits sont suggérés aux personnes à la peau sensible, aux gens allergiques au savon ou encore à ceux qui ne peuvent pas s'en procurer

_____

_____

_____

_____

_____

_____

b) Complétez le tableau à l'aide des subordonnées circonstancielles que vous avez mises entre crochets en **a)**.

	VERBE DE LA SUBORDONNÉE	MODE DU VERBE	SENS DE LA CIRCONSTANCIELLE	SUBORDONNANT
1				
2				
3				
4				
5				

6 Dans les phrases suivantes, choisissez le verbe entre parenthèses au mode qui convient dans la subordonnée circonstancielle et transcrivez-le.

AU BESOIN, suivez les étapes suivantes pour vérifier le mode du verbe dans les subordonnées circonstancielles.

☐ Encadrez en couleur :
  ■ les subordonnants de temps de sens équivalant à *avant que* ;
  ■ les subordonnants de but ;
  ■ le subordonnant *pour que* au début d'une circonstancielle de conséquence.

☐ Employez le subjonctif dans les subordonnées dont le subordonnant est encadré en couleur et l'indicatif dans les autres cas.

☐ Au besoin, consultez un ouvrage de référence en conjugaison et vérifiez notamment l'orthographe des verbes en « oi ».

1 La mouche des sables, aussi appelée *leishmania,* est un parasite tellement puissant qu'il (*peut, puisse*) _____ tuer un être humain en affaiblissant son système immunitaire, comme le (*fait, fasse*) _____ le sida.

2 La *leishmania* fait suffisamment de victimes pour qu'une équipe de chercheurs (*s'est mise, se soit mise*) _____ à étudier les stratégies développées par ce parasite pour se multiplier et résister aux médicaments.

3 Il n'y a pas encore assez de pays qui participent aux recherches sur la *leishmania* pour qu'on (*voit, voie*) _____ bientôt une solution à ce grave problème.

4 La *leishmania* est un moustique si petit qu'on le (*voit, voie*) _____ à peine.

5 Avant que sa victime s'en (*aperçoit, aperçoive*) _____, le moustique a libéré des centaines de parasites minuscules sous sa peau.

P **7** **a)** Ajoutez une subordonnée circonstancielle dans l'espace donné et détachez-la à **1à5**
l'aide de virgules s'il y a lieu.

> **1** (Sub. circ. de **comparaison**) En général, les enfants qui reçoivent un vaccin pleurent de peur _____
>
> _____
>
> **2** (Sub. circ. de **cause**) _____
>
> _____ Jade n'a reçu aucun vaccin.
>
> **3** (Sub. circ. de **conséquence**) Certaines personnes s'exposent très longtemps au soleil
>
> _____
>
> _____
>
> **4** (Sub. circ. de **cause**) Certaines personnes _____
>
> _____
>
> développent un cancer de la peau.
>
> **5** (Sub. circ. de **conséquence**) La peau de certaines personnes est trop sensible
>
> _____
>
> **6** (Sub. circ. de **but**) _____
>
> _____
>
> certaines compagnies vendent de la crème solaire aux couleurs attrayantes.

b) Soulignez le verbe dans les subordonnées ajoutées et vérifiez son mode et son orthographe.

c) Si possible, récrivez la phrase **1** (avec une subordonnée circonstancielle de comparaison) et supprimez les éléments du GV de la subordonnée qui créent une répétition.

_____

_____

⊞ Qualification pour l'épreuve finale

1 Poursuivez la correction du texte ci-après à l'aide des pistes de révision ci-dessous. Cochez une case chaque fois qu'une piste vous permet de corriger une erreur. Les autres cases vous serviront au numéro **2**.

⟳ PISTES DE RÉVISION

Syntaxe

☐ ☐ Souligner les verbes et repérer les GNs et les GV précédés d'un subordonnant circonstanciel (de temps, de cause, de conséquence, de comparaison, etc.) ou de *que* ou *pour que* en lien avec un mot de degré ou d'intensité. Encadrer le subordonnant et le mot de degré ou d'intensité.

☐ ☐ Mettre entre crochets les subordonnées circonstancielles et vérifier le choix du subordonnant en fonction de son sens et du registre de langue.

☐ ☐ Souligner d'un double trait le verbe de la subordonnée circonstancielle et vérifier son mode et son orthographe. (*Voir la fiche 9.*)

☐ ☐ Mettre entre parenthèses les autres Gcompl. P.

Ponctuation

☐ ☐ Si une subordonnée circonstancielle ou un autre Gcompl. P est séparé du reste de la phrase par un point, l'insérer dans la phrase matrice.

☐ ☐ Si une subordonnée circonstancielle ou un autre Gcompl. P est au début d'une phrase, le faire suivre d'une virgule; s'il est ailleurs qu'en début ou qu'en fin de phrase, l'encadrer de deux virgules.

Attention, ⓔrreurs!

Manger, oui; mais quoi?

Parce que
[~~À cause que~~ j'aie lu plusieurs articles sur les aliments récemment], j'ai presque peur de manger. (Dans ces articles) certains spécialistes affirment, par exemple, que le poisson étant donné qu'il n'est pas gras est l'une des meilleures viandes pour la santé. Selon eux le poisson serait tellement bon pour la santé ça fait qu'il stimulerait l'intelligence. Ils soutiennent que l'on devrait en manger plusieurs fois par semaine. Comme que le font les Japonais ou les Inuits, qui ont moins de maladies cardiaques. Cependant, d'autres spécialistes nous mettent en garde contre la consommation de poisson.

• • •

e

Ils vont jusqu'à proscrire cette viande chez les femmes enceintes. Parce qu'elle contient beaucoup de mercure . Selon leurs recherches , ce métal n'est pas éliminé par notre corps alors que , à la longue , il pourrait nous intoxiquer . Ces avis sont assez contradictoires pour que l'on ne sait plus si l'on devrait ou non manger du poisson . Et le poisson n'est qu'un exemple parmi d'autres ; il y a même des mises en garde contre la consommation de fraises...

2 **a)** Choisissez un des parcours suivants et, sur une feuille mobile, écrivez votre texte.

Révisez ensuite votre texte à l'aide des pistes de révision données au numéro 1. Cochez une case chaque fois qu'une nouvelle piste vous permet de corriger une erreur.

Employez au moins deux subordonnées circonstancielles de cause, une de conséquence et une de comparaison, ainsi qu'une subordonnée circonstancielle de votre choix qui n'est pas placée en fin de phrase.

Parcours narratif

Vous connaissez sans doute ce proverbe : *Mieux vaut prévenir que guérir*. Racontez une petite histoire, une anecdote qui l'illustrerait. Dans cette anecdote, vous devez expliquer pourquoi, dans une situation, il aurait «mieux valu prévenir que guérir» et vous devez comparer cette situation à une autre.

Parcours explicatif

Écrivez un court texte dans lequel vous expliquez pourquoi les médecins encouragent la prévention en santé. Donnez un exemple concret dans lequel vous comparez la situation d'une personne qui n'emploie aucune mesure préventive pour rester en bonne santé et celle d'une autre personne qui opte pour des mesures préventives.

b) Dans la grille de révision qui suit, insérez les pistes de révision qui vous ont été les plus utiles. Vous pouvez les personnaliser et en ajouter. Dans la colonne de droite, inscrivez les pages de vos ouvrages de référence et quelques trucs.

VERS UNE GRILLE DE RÉVISION

QUELQUES PISTES DE RÉVISION	MES OUTILS ET MES TRUCS
GRAMMAIRE DE LA PHRASE	
PONCTUATION	

La subordonnée relative

Le terme « relatif » vient du mot latin *relativus*. En grammaire, ce mot a commencé par désigner un terme qui servait à établir une *relation* entre un nom ou un pronom qu'il représentait (son antécédent) et une subordonnée. Ainsi sont nés le pronom relatif et sa subordonnée relative. Depuis le Moyen Âge, on les trouve dans les phrases à la suite d'un nom ou d'un pronom ; ils apportent parfois des renseignements essentiels pour qu'on comprenne ce que ce nom ou ce pronom désigne effectivement.

Synthèse des connaissances

> Tout en lisant, surlignez les éléments qui vous semblent essentiels pour comprendre l'emploi de la subordonnée relative et du pronom relatif.

Les caractéristiques de la subordonnée relative

La subordonnée relative est une phrase syntaxique : GNs + GV + (Gcompl. P) qui commence par un **pronom relatif** (ex. : *qui, que, dont, où, lequel, duquel, auquel*). Le pronom relatif est son subordonnant. Il est **parfois précédé d'une préposition** (ex. : *à qui, sur lequel*).

Ex. : *Le plasma contient les plaquettes,*

Sub. rel.

| Pron. rel. | GNs | GV | Gcompl. P |

dont | *on* | *a besoin* | *pour que notre sang coagule* .

Sub. rel.

| Prép + Pron. rel. | GNs | GV |

Francine Décary, *pour laquelle* | *plus de mille personnes* | *travaillent* , *est la directrice d'Héma-Québec.*

REMARQUE Le **mode du verbe** dans la subordonnée relative est le plus souvent l'**indicatif**. (*Voir la fiche 9.*)

La subordonnée relative ne peut pas fonctionner seule : elle dépend d'un nom ou d'un pronom de la phrase matrice (la phrase dans laquelle elle se trouve). Elle a la fonction de complément du nom ou de complément du pronom dans un GN de la phrase matrice.

phrase matrice

GN

Sub. rel. compl. du N *plaquettes*

Ex. : *Le plasma contient* *les plaquettes, dont on a besoin pour que notre sang coagule* .

La subordonnée relative est placée après le nom ou le pronom dont elle est le complément et n'est **pas déplaçable**. Lorsqu'elle complète un nom, elle est **supprimable**, comme la plupart des compléments du nom.

Ponctuation

RÈGLE : La subordonnée relative qui a une valeur explicative est **encadrée de virgules**, ou **précédée d'une virgule** si elle est en fin de phrase.

<u>Ajoutez les virgules dans les espaces.</u>

Ex. : *Les globules rouges*☐ *qu'on appelle aussi « hématies »*☐ *sont de petites cellules sans noyau.*

Le sang est composé de plasma et de globules rouges☐ *qu'on appelle aussi « hématies ».*

> ▶ **REMARQUE** La subordonnée relative a une valeur explicative si, une fois supprimée, le sens du GN dans lequel elle se trouve reste le même. Comparez ces phrases.
>
> *Le sang est composé de plasma et de globules rouges, ~~qu'on appelle aussi « hématies »~~.*
> (Sub. rel. à valeur explicative)
>
> *Un anticorps est une substance ~~qui contribue à l'élimination des microbes~~.* (Sub. rel. à valeur déterminative) ◀

Le pronom relatif

Le pronom relatif a un **antécédent** (il s'agit du nom ou du pronom que la subordonnée complète). C'est cet antécédent qui donne son sens au pronom (ainsi que son genre, son nombre et sa personne).

antécédent

Ex. : *Le sang est composé de plasma et de globules rouges,* $\boxed{qu'}$*on appelle aussi « hématies ».*

Le pronom relatif **remplace un groupe de mots**. Dans la subordonnée relative, il a la même **fonction** que le groupe de mots qu'il remplace.

compl. dir du V *appelle*

Ex. : *Le sang est composé de plasma et de globules rouges,* $\boxed{qu'}$*on appelle aussi « hématies ».*

compl. dir du V *appelle*

On appelle aussi $\boxed{\text{les globules rouges}}$ « hématies ».

> ▶ **REMARQUE** On identifie le groupe de mots que le pronom relatif remplace en construisant une phrase qui peut fonctionner seule à partir de la subordonnée relative sans le pronom relatif et de l'antécédent du pronom relatif. Par exemple, on construira la phrase *On appelle aussi les globules rouges « hématies »* à partir de la subordonnée relative sans le *qu'* et de l'antécédent *globules rouges* plus haut. ◀

Le **choix du pronom relatif** dépend des caractéristiques du groupe de mots remplacé par le pronom ou par la préposition et le pronom.

CHOIX DU PRONOM RELATIF		
Pron. relatif ou Prép + Pron. relatif	**Groupe de mots remplacé**	**Exemples**
qui	GN ayant la fonction de sujet	Cette substance contribue à l'élimination des microbes. *Un anticorps est une substance qui contribue à l'élimination des microbes.*
lequel (*laquelle, lesquels, lesquelles*)	GN ayant la fonction de sujet	Francine Décary est la directrice d'Héma-Québec. *Francine Décary, laquelle est la directrice d'Héma-Québec, a noté l'influence de la température sur les donations de sang.*
que	GN ayant la fonction de compl. dir. du V (ou d'attr. du sujet)	On appelle aussi les globules rouges «hématies». *Les globules rouges, qu'on appelle aussi «hématies», sont de petites cellules sans noyau.*
dont	GPrép qui commence par la préposition *de* (*du, des*)	On a besoin de plaquettes pour que notre sang coagule. *Le plasma contient les plaquettes, dont on a besoin pour que notre sang coagule.*
où (**Prép + où :** *d'où, vers où, par où, jusqu'où*)	GN ou GPrép constituant la réponse à une question en *Où… ?* ou en *Quand… ?*	Plus de mille personnes travaillent chez Héma-Québec. *Héma-Québec, où travaillent plus de mille personnes, a remplacé la Croix-Rouge.*
Prép + lequel (*auquel, à laquelle, duquel, sur lesquels*)	GPrép	Plus de mille personnes travaillent pour Francine Décary. *Francine Décary, pour laquelle plus de mille personnes travaillent, est la directrice d'Héma-Québec.*
Prép + qui	GPrép dont la préposition est suivie d'un nom ou d'un pronom représentant des personnes, parfois des animaux	Plus de mille personnes travaillent pour Francine Décary. *Francine Décary, pour qui plus de mille personnes travaillent, est la directrice d'Héma-Québec.*

▶ **ATTENTION !** La préposition employée devant le pronom relatif est la même que celle qui se trouve au début du GPrép remplacé. ◀

Quelques **e**rreurs fréquentes

Voici des erreurs fréquentes liées à l'emploi des subordonnées relatives et au choix du pronom relatif. Après les séances d'exercices qui suivent, vous serez en mesure d'éviter de telles erreurs ou de les corriger dans vos textes. Consultez le tableau ci-dessous en tout temps et particulièrement dans la séance d'entraînement quand vous verrez le pictogramme **0** correspondant à chaque cas d'erreur.

Tout en lisant la description et la correction des erreurs, surlignez ce qui pourrait vous être utile lorsque vous réviserez vos textes.

EXEMPLES D'ERREURS	DESCRIPTION ET CORRECTION DES ERREURS	
dont (GPrép : de plaquettes) Les plaquettes, [~~qu'~~on a besoin pour la coagulation de notre sang], sont contenues dans le plasma.	Le pronom relatif *que* remplace à tort un GPrép. ⊃ **Correction :** Remplacer *que* par *dont, où, duquel, auquel*, etc. ou par la préposition et le pronom relatif appropriés.	❶
avec qui ou avec lequel (GPrép : avec le médecin) Le médecin [~~que~~ j'ai parlé ~~avec~~] m'a dit de consommer plus d'aliments contenant du fer pour contrôler mon anémie.	Le groupe de mots à remplacer est un GPrép, mais on a employé le pronom relatif *que* et la préposition est après le verbe de la relative. ⊃ **Correction :** Supprimer *que*, puis choisir le pronom relatif approprié et déplacer la préposition devant ce pronom.	❷
FP *lesquelles* Les deux **infirmières** [avec ~~lesquels~~ j'ai discuté de mon problème] m'ont rassuré.	Le pronom relatif *lequel* n'est pas du même genre et du même nombre que son antécédent. ⊃ **Correction :** Corriger l'orthographe du pronom relatif selon le genre et le nombre de son antécédent.	❸
3P *nt* Les **personnes** [qui ne consomme pas beaucoup de fer] peuvent souffrir d'anémie. 3P MP *s* Parmi les **aliments** [qui sont riche en fer], on trouve les épinards.	Dans le GV de la relative, les accords avec le GNs *qui* sont incorrects. ⊃ **Correction :** Selon l'antécédent de *qui*, corriger l'accord : ■ du verbe (*voir l'unité 9*) ; ■ de l'adjectif attribut du sujet (*voir la fiche 1*) ; ■ du participe passé employé avec *être* ou avec n'importe quel verbe attributif (*voir l'unité 10*).	❹
FP *es* Les deux **infirmières** [que j'ai rencontré] m'ont beaucoup rassuré.	L'accord du participe passé avec le pronom *que* complément direct du verbe est incorrect. ⊃ **Correction :** Selon l'antécédent de *que*, corriger l'accord du participe passé employé avec *avoir* (*voir l'unité 10*).	❺

⊡ Séance d'échauffement

1 **a)** Observez les subordonnées entre crochets dans les phrases suivantes.

≡ MON OUVRAGE
DE RÉFÉRENCE

TITRE : _____
_____

MOTS CLÉS : *phrase subordonnée, subordonnant, antécédent.*

PAGES : _____

Sub. rel.

1 Les <u>globules blancs</u> [que nous avons dans notre sang] servent à défendre notre organisme.

Sub. complét.

2 Saviez-vous [que la leucémie est une maladie liée à un problème de globules blancs] ?

Sub. circ.

3 La leucémie est liée à un problème de globules blancs [alors que l'hémophilie est liée à l'absence d'un facteur de coagulation dans le sang].

b) Cochez les subordonnées auxquelles correspondent généralement les énoncés suivants.

ÉNONCÉS	Sub. rel.	Sub. circ.	Sub. complét.
La subordonnée contient un GNs et un GV.			
La subordonnée commence par un <u>subordonnant</u>.			
La subordonnée commence par un pronom relatif ou par une <u>préposition</u> et un pronom relatif.			
La subordonnée est complément du nom ou du pronom.			
Son subordonnant a un <u>antécédent</u>.			
Son subordonnant remplace un groupe de mots.			

2 **a)** Soulignez de deux traits l'antécédent du pronom relatif encadré.

b) Dans la phrase en couleur correspondant à la relative, transcrivez le groupe de mots que le pronom relatif remplace (avec la préposition s'il y a lieu).

1 Le plasma sanguin, [qui est l'élément liquide du sang], a plusieurs fonctions.

➤ [_____] est l'élément liquide du sang.

2 Notre sang contient du plasma, [où circulent des nutriments et de l'oxygène].

➤ Des nutriments et de l'oxygène circulent [_____].

3 Le plasma, [dans lequel flottent les globules et les plaquettes], permet au sang d'être liquide et de circuler dans les différentes parties du corps.

➤ Les globules et les plaquettes flottent [_____].

4 Le plasma sanguin, [qu' on peut isoler des globules et des plaquettes par centrifugation], n'est pas rouge.

➤ On peut isoler [_____] des globules et des plaquettes par centrifugation.

5 Le procédé de centrifugation [dont on a parlé] consiste à faire tourner très rapidement une substance pour en séparer les éléments solides et liquides.

➤ On a parlé [_____].

3 **a)** Dans les phrases ci-après, mettez les subordonnées relatives entre crochets et soulignez d'un double trait l'antécédent des pronoms relatifs.

> **AU BESOIN,** suivez les étapes suivantes pour délimiter les subordonnées relatives.
>
> ☐ Soulignez les verbes conjugués.
> ☐ Repérez un regroupement GNs + GV précédé d'un pronom relatif et encadrez ce pronom relatif avec la préposition devant s'il y a lieu.
> ☐ Mettez un crochet ouvrant ([ )devant le subordonnant (et la préposition) encadré.
> ☐ Vérifiez où se termine la relative en lisant la phrase sans elle et mettez le crochet fermant ( ]).

1 Les substances que le sang transporte sont nombreuses .

_____

_____

2 L'oxygène fait partie des substances qui sont transportées par le sang .

_____

3 Les plaquettes , sans lesquelles la coagulation ne peut pas se faire , viennent boucher la brèche par où le sang s'écoule .

_____

_____

4 Les plaquettes forment un bouchon que les facteurs de coagulation solidifient de façon à arrêter le saignement .

_____

_____

5 Les personnes dont le sang ne contient pas suffisamment de facteurs de coagulation souffrent d'hémophilie .

_____

_____

b) Construisez une phrase qui peut fonctionner seule à partir de chaque subordonnée en **a)**, puis:

- encadrez le groupe de mots que remplace le pronom relatif (avec la préposition);
- encadrez le pronom relatif au début de la subordonnée (avec la préposition).

4 **a)** Complétez le tableau suivant à l'aide de la *Synthèse des connaissances* ou d'une grammaire:

- cochez le ou les groupes de mots que remplace le pronom relatif;
- inscrivez une autre caractéristique du groupe de mots remplacé par le pronom.

≡ MON OUVRAGE DE RÉFÉRENCE

TITRE: _____

_____

MOTS CLÉS: GN, GPrép, pronom re| fonction syntaxique.

PAGES: _____

PRONOM RELATIF SEUL	GROUPE DE MOTS REMPLACÉ		AUTRE CARACTÉRISTIQUE
	GN	GPrép	
qui			fonction: _____
que			fonction: _____
dont			commence par: _____
où			répond à: _____

b) Complétez le tableau suivant à l'aide de la *Synthèse des connaissances* ou d'une grammaire. Pour ce faire:

- inscrivez le pronom relatif à employer;
- cochez la construction du groupe de mots que remplacent le pronom relatif et la préposition.

PRÉPOSITION + PRONOM RELATIF	GROUPE DE MOTS REMPLACÉ		AUTRE CARACTÉRISTIQUE
	GN	GPrép	
Prép + lequel De + lequel = _____ À + lequel = _____			personne, animal ou chose masculin singulier
Prép + _____			féminin singulier

SUITE ▷

▸SUITE

PRÉPOSITION + PRONOM RELATIF	GROUPE DE MOTS REMPLACÉ		AUTRE CARACTÉRISTIQUE
	GN	GPrép	
Prép + _____ De + lesquels = _____ À + lesquels = _____			personne, animal ou chose masculin pluriel
Prép + _____ De + lesquelles = _____ À + lesquelles = _____			féminin pluriel
Prép + _____			personne ou animal
Prép + _____			réponse à une question en *Où… ?* ou en *Quand… ?*

Séance d'entraînement

1 **a)** Transcrivez les phrases suivantes en insérant la phrase en gras dans la première phrase à l'aide d'un pronom relatif.

- Le pronom relatif doit remplacer le groupe de mots encadré.
- Le symbole (∧) indique l'endroit où la subordonnée doit être insérée.

1 La lymphe est un liquide∧. **GNs** **Ce liquide** entoure les cellules.

_____

_____

2 La circulation lymphatique∧ se distingue de la circulation sanguine.

GPrép commençant par *de*

Le rôle **de la circulation lymphatique** est d'amener l'oxygène et les nutriments aux cellules.

_____

_____

_____

3 La circulation lymphatique a aussi le rôle de transporter les déchets_∧. **Les cellules**

GN compl. dir. du V *produisent*

produisent ces déchets .

_____

_____

_____

4 Les ganglions lymphatiques_∧ sont des amas de globules blancs. **La lymphe est**

GPrép (Prép + GN avec noyau = chose, MP)

filtrée par les ganglions lymphatiques .

_____

_____

_____

5 Tous les jours, une grande quantité de lymphe sort du sang_∧. **Elle doit cependant**

GPrép répondant à *Où…?*

retourner dans le sang **après avoir été filtrée par les ganglions lymphatiques.**

_____

_____

_____

_____

b) Dans les phrases **2** et **4**, les subordonnées relatives que vous avez construites ont une valeur explicative. Encadrez-les de virgules.

2 Encadrez le pronom relatif dans chaque phrase et corrigez-en le choix s'il y a lieu. ❶

> ## AU BESOIN, suivez les étapes suivantes pour vérifier le choix du pronom relatif.
>
> ☐ Mettez entre crochets la subordonnée relative et soulignez de deux traits l'antécédent du pronom relatif.
>
> ☐ Construisez mentalement une phrase qui peut fonctionner seule à partir de la relative :
>   - inscrivez le groupe de mots que le pronom remplace ;
>   - déterminez ses caractéristiques (GN ou GPrép ; personne, animal ou chose ; féminin ou masculin ; singulier ou pluriel ; etc.).
>
> ☐ Choisissez le pronom relatif qui convient.

Attention, erreurs!

1 L'exposition scientifique que nous sommes allés était très intéressante.

2 L'exposition scientifique que nous avons visitée était très intéressante.

3 Nous avons visité l'exposition scientifique que vous nous aviez parlé la semaine dernière.

4 Nous avons visité l'exposition scientifique que vous nous aviez fortement recommandée.

5 Les expériences dont nous retrouvons dans cette exposition sont très originales.

---

3 Dans les phrases suivantes, soulignez de deux traits l'<u>antécédent</u> du pronom relatif *que*, puis:

- barrez ce pronom relatif;

- barrez la <u>préposition</u> employée seule après le verbe ou à la fin de la subordonnée relative;

- employez cette préposition au début de la relative et choisissez le pronom relatif qui convient.

Attention, erreurs!

1 Ce n'est même pas le président de classe qui a organisé la sortie à l'exposition

scientifique, mais Fanie, que personne n'avait voté pour.

2 Fanie a de très bonnes idées que le président de classe n'est jamais d'accord avec.

3 Lors de l'exposition, nous avons revu plusieurs amis que nous sommes allés à

l'école avec quand nous étions au primaire.

---

4 **a)** Indiquez le genre (M ou F) et le nombre (S ou P) de l'antécédent souligné de deux traits dans les phrases suivantes. ③

b) Complétez les phrases à l'aide d'une préposition et du pronom relatif *lequel* / *lesquels* / *laquelle* / *lesquelles*.

1 Dans ce livre, on trouve des <u>illustrations</u> _____ figurent les principales veines et artères du corps humain.

2 Nous avons lu plusieurs <u>articles</u> _____ on trouve de l'information sur les maladies cardiovasculaires.

3 La <u>nutritionniste</u> _____ nous avons travaillé à notre projet nous a expliqué certains effets de notre alimentation sur les maladies cardiovasculaires.

4 Nous avons choisi deux <u>problèmes</u> majeurs _____ nous apporterons des solutions.

5 Le tabagisme est un <u>problème</u> important _____ il faut s'attaquer rapidement.

5 **a)** Dans les phrases suivantes, encadrez les pronoms relatifs avec la préposition qui les précède s'il y a lieu et soulignez de deux traits leur antécédent. ③et④

1 Étienne aime beaucoup sa grand-mère . Elle est la personne de la famille

à laquelle il ressemble le plus .

2 Les photographies auxquelles Étienne tient le plus sont celles qu'il a de

lui tout petit avec sa grand-mère .

3 La période où sa grand-mère est restée à l'hôpital a été très longue .

4 Étienne est le seul membre de la famille à qui sa grand-mère a raconté

certains souvenirs .

5 Étienne est le seul membre de la famille duquel on peut prélever le

sang pour le transfuser à sa grand-mère .

b) Au-dessus du pronom relatif et de la préposition encadrés, inscrivez-en d'autres qui conviennent si possible.

6 **a)** Dans les phrases ci-après, encadrez les pronoms relatifs avec la préposition qui les précède s'il y a lieu et soulignez de deux traits leur antécédent.

b) Si le pronom relatif a la fonction de sujet, vérifiez et corrigez les accords dans le GV de la subordonnée relative.

> **AU BESOIN,** suivez ces étapes pour corriger les accords avec *qui*.
>
> ☐ Inscrivez au-dessus de *qui* le genre (M ou F) et le nombre (S ou P) de son antécédent et sa personne grammaticale (3S ou 3P).
>
> ☐ Reliez *qui* à ses receveurs d'accord dans la subordonnée relative :
>   - le verbe, ou l'auxiliaire *être* ou *avoir* ;
>   - l'adjectif attribut du sujet ;
>   - le participe passé employé avec *être* ou avec n'importe quel verbe attributif.

Attention, erreurs !

1 Les personnes qui donne du sang régulièrement se portent aussi bien que celles qui n'en donne pas.

2 Il existe des maladies qu'on soigne essentiellement par transfusion sanguine.

3 Les transfusions sanguines, qui sont considéré comme des médicaments biologiques dans certains cas, sont tout de même parfois risquées.

4 Pour éviter certains risques qui demeure présent dans la plupart des transfusions, Héma-Québec propose à certaines personnes de mettre en banque leur propre sang.

5 Plusieurs personnes qui subisse une opération doivent avoir une transfusion.

6 Étienne et sa grand-mère, dont le groupe sanguin est O⁻, sont des donneurs universels : ils peuvent donner du sang à tous.

• • •

7 Les autres membres de la famille d'Étienne, qui aurait bien aimé donner du sang à leur grand-mère quand elle en avait besoin, ne pouvaient pas, car leur groupe sanguin est de rhésus positif.

8 Le père et la sœur d'Étienne, qui ne pourrait même pas lui donner de sang, peuvent en recevoir de tous, car leur groupe sanguin est AB⁺.

---

7 **a)** Dans les phrases ci-après, encadrez les pronoms relatifs avec la préposition qui les précède s'il y a lieu et soulignez de deux traits leur antécédent.   **5**

b) Si le pronom relatif a la fonction de complément direct du verbe, vérifiez et corrigez l'accord des participes passés dans la subordonnée relative.

> **AU BESOIN,** suivez ces étapes pour corriger les accords avec *que*.
> ☐ Inscrivez au-dessus du pronom relatif *que* le genre (M ou F) et le nombre (S ou P) de son antécédent.
> ☐ Reliez *que* à son receveur d'accord dans la relative : le participe passé employé avec *avoir*.

Attention, erreurs !

1 Certains des symptômes qu'on a souvent associé au diabète sont trompeurs.

2 Le diabète est une maladie dont plusieurs personnes ont souffert longtemps sans même le savoir.

3 Chacun devrait être attentif aux symptômes du diabète que des spécialistes ont répertorié.

4 Le test de glycémie qu'on a fait à Élisabeth a permis de déterminer le taux de sucre qu'elle avait dans le sang.

5 Pour faire le test de glycémie, on a prélevé une goutte de sang du doigt d'Élisabeth qu'on a immédiatement mis en contact avec une bandelette absorbant le sang, laquelle a été placée dans un appareil spécialement conçu pour lire le taux de sucre.

8 **a)** À l'aide de subordonnées relatives, insérez les renseignements proposés dans la colonne de droite à l'intérieur de chaque paragraphe, là où ils peuvent s'insérer. Le groupe de mots encadré dans chaque phrase de droite doit être remplacé par un pronom relatif.

Aux États-Unis, des chercheurs seraient en train

qui indiquerait si une plaie a besoin d'antibiotiques pour guérir

de mettre au point un pansement spécial∧. Les petits

dont le pansement est muni

capteurs∧ changeraient de couleur selon le type de

bactéries∧.

Comme la surface était rocailleuse, Kim s'est retrouvée

avec plein de petits cailloux sous la peau des mains.

Elle a pu se désinfecter avec les produits, mais elle n'a pas

réussi à enlever tous les morceaux de pierre et de sable.

Elle a donc dû remonter à bicyclette malgré la douleur

et trouver une source d'eau.

C'est une aventure!

Renseignements proposés
Ce pansement indiquerait si une plaie a besoin d'antibiotiques pour guérir.
Le pansement est muni de petits capteurs.
La plaie présente un type de bactéries.
Elle est tombée sur la surface.
Elle avait amené des produits par précaution.
Les morceaux sont restés coincés.
Sa blessure lui a causé une douleur.
Elle pouvait se laver les mains dans la source d'eau.
Elle se souviendra longtemps de cette aventure.

b) Vérifiez le choix du pronom relatif dans les subordonnées que vous avez insérées et reliez les pronoms *qui* et *que* à leurs <u>receveurs d'accord</u> s'il y a lieu.

⊞ Qualification pour l'épreuve finale

1 Complétez la révision de la lettre ci-après à l'aide des pistes de révision ci-dessous. Cochez une case si la piste de révision vous a permis de corriger des erreurs. Les autres cases vous serviront au numéro **2**.

⟳ PISTES DE RÉVISION

Grammaire de la phrase

☐ ☐ Devant les verbes conjugués, repérer les pronoms relatifs et les encadrer (avec la préposition).

☐ ☐ Souligner de deux traits l'antécédent des pronoms relatifs et mettre entre crochets les subordonnées relatives.

☐ ☐ Construire mentalement la phrase qui peut fonctionner seule à partir de la relative et inscrire entre parenthèses le groupe de mots que remplace le pronom relatif (avec la préposition).

☐ ☐ Vérifier le choix des pronoms relatifs, particulièrement celui du pronom *que*, et l'emploi des prépositions qui les accompagnent.

Orthographe

☐ ☐ Vérifier l'orthographe du pronom *lequel* selon son antécédent.

☐ ☐ Relier le pronom relatif *qui* à ses receveurs d'accord:
- le verbe, ou l'auxiliaire *être* ou *avoir*;
- l'adjectif attribut du sujet;
- le participe passé employé avec *être* ou avec n'importe quel verbe attributif.

☐ ☐ Relier le pronom relatif *que* à son receveur d'accord: le participe passé employé avec *avoir*.

Ponctuation

☐ ☐ S'assurer que la subordonnée à valeur explicative est détachée par une ou deux virgules selon sa place.

Attention, ℮rreurs !

Salut Vincent,

J'ai eu envie de t'écrire après avoir lu l'article [~~que~~ je vais te parler dans cette
↑dont   ↑(de l'article)

lettre]. Cet article m'a rappelé quand tu venais d'avoir ton Tamagotchi au primaire .

Tu te souviens ce petit animal électronique [~~qu'~~on ne te voyait jamais sans]. Imagine-toi

qu'on vient d'en inventer un pour les personnes âgées . On l'appelle « Pill pet » . Le nom

vient du mot anglais « pet » , qui signifie « animal domestique » . En fait , l'invention sur qui j'ai lu est un animal robotisé que la mission est d'inciter son maître à suivre correctement son traitement médical . Les «Pill pets» sont des jouets colorés et câlins dotés d'un écran sur laquelle le traitement du maître s'affiche . Par exemple , l'écran indique le nombre de pilules à prendre par jour et l'heure auquelle on doit les prendre . Selon les chercheurs qui a mis au point les «Pill pets» , les personnes âgées s'attachent aux animaux domestiques , avec lequel elles créent des liens affectifs . Ce lien affectif leur ferait prendre conscience qu'ils doivent se garder en santé pour pouvoir s'occuper de leur animal . Voilà. C'était un résumé de la page que j'ai lu sur Internet à l'adresse de CyberSciences .

Amicalement, Lilly

---

2 **a)** Choisissez un des parcours suivants et, sur une feuille mobile, écrivez votre texte que vous réviserez à l'aide des pistes de révision données au numéro 1. Cochez une case chaque fois qu'une piste de révision vous permet de corriger une erreur.

Dans votre texte, vous devez employer au moins huit subordonnées relatives dont trois avec le pronom relatif *lequel* précédé d'une préposition.

Parcours narratif

Racontez un moment privilégié que vous avez vécu avec une personne malade ou invalide, ou encore un passage d'un film ou d'un roman mettant en scène un personnage atteint d'une maladie. Parlez de l'état dans lequel se trouvait la personne, de ses relations avec ses proches ou avec les médecins, de ses traitements, etc.

Parcours explicatif

Écrivez un court texte expliquant pourquoi, en vieillissant, notre corps se transforme ou pourquoi certaines maladies surviennent davantage chez les personnes plus âgées (par exemple, les problèmes cardiaques, les troubles de la vue, etc.).

b) Dans la grille de révision qui suit, insérez les pistes de révision qui vous ont été les plus utiles. Vous pouvez les personnaliser et en ajouter. Dans la colonne de droite, inscrivez les pages de vos ouvrages de référence et quelques trucs.

VERS UNE GRILLE DE RÉVISION

QUELQUES PISTES DE RÉVISION	MES OUTILS ET MES TRUCS
GRAMMAIRE DE LA PHRASE	
ORTHOGRAPHE	
PONCTUATION	

La phrase emphatique et la phrase à présentatif

La phrase emphatique est un moyen de mettre une information en valeur dans la phrase, que ce soit simplement pour donner de l'importance à cette information ou pour faire un lien avec ce qu'on a déjà dit. La phrase à présentatif, quant à elle, permet souvent de s'exprimer dans une économie de mots et de présenter des éléments de la situation de communication, par exemple : *voici l'unité 6*.

Synthèse des connaissances

Tout en lisant, surlignez les éléments qui vous semblent essentiels pour bien comprendre ce qui caractérise la phrase emphatique et la phrase à présentatif.

La phrase emphatique

La phrase emphatique contient un élément mis en relief à l'aide de **marques d'emphase** tandis que la phrase neutre n'en contient pas. (*Voir aussi l'unité 1, page 10.*)

PHRASE DE FORME EMPHATIQUE	PHRASE DE FORME NEUTRE
élément mis en relief *C'est* |le relief de la Lune| *que le savant italien Galilée a découvert.* *Le savant italien Galilée l'a découvert,* |*le relief de la Lune*|.	*Le savant italien Galilée a découvert le relief de la Lune.*

Voici les **trois principales façons de mettre un groupe de mots en relief dans la phrase emphatique**.

■ L'encadrement du groupe de mots par *c'est... que*, ou par *c'est... qui* s'il s'agit d'un groupe ayant la fonction de sujet dans la phrase neutre.

   Ex. : *Ce sont* \|le relief de la Lune et la présence d'étoiles dans la Voie lactée\| *que le savant italien Galilée a découverts.*

   Était-ce \|le savant italien Galilée\| *qui avait découvert le relief de la Lune ?*

   Les mots *que* et *qui* dans ces marqueurs d'emphase sont des pronoms relatifs dont l'antécédent se trouve dans le groupe de mots mis en relief.

   ▶ REMARQUE Le verbe *être* des marqueurs d'emphase *c'est... que* et *c'est... qui* varie en personne (3S ou 3P) et en temps. ◀

- L'emploi de *ce que…, c'est*, ou de *ce qui…, c'est* s'il s'agit d'un groupe ayant la fonction de sujet dans la phrase neutre.

  Ex.: *Ce que le savant Galilée a découvert, c'est* $\boxed{\textit{le relief de la Lune}}$.

  ▶ REMARQUE Le verbe *être* de ces marqueurs d'emphase varie en personne (3S ou 3P) et en temps. ◀

- Le **détachement** d'un groupe de mots en début ou en fin de phrase et sa **reprise par un pronom** (ou son annonce par un pronom).

  Ex.: $\boxed{\textit{Le relief de la Lune}}$, *le savant Galilée l'a découvert.*

  Le savant Galilée l'a découvert, $\boxed{\textit{le relief de la Lune}}$.

Ponctuation

- Une virgule doit suivre le groupe de mots détaché au début de la phrase s'il est repris par un pronom.

- Une virgule doit précéder le groupe de mots détaché à la fin de la phrase s'il est annoncé par un pronom ou doit précéder le *c'est* de *ce que…, c'est* ou de *ce qui…, c'est*.

  Ajoutez les virgules dans les cases.

  Ex.: $\boxed{\textit{Le relief de la Lune}}$ ☐ *le savant Galilée l'a découvert.*

  Le savant Galilée l'a découvert ☐ $\boxed{\textit{le relief de la Lune}}$.

  Ce que le savant Galilée a découvert ☐ *c'est* $\boxed{\textit{le relief de la Lune}}$.

Orthographe

Dans la mise en relief à l'aide de *c'est…* et du pronom relatif *que* ou à l'aide du détachement et du pronom *le* (*l'*), *la* (*l'*) ou *les*, le **participe passé** du verbe s'accorde en genre et en nombre (*voir l'unité 10*) selon l'antécédent du pronom complément direct du verbe.

Faites les flèches qui relient le participe passé à son donneur d'accord.

GN compl. dir. du V

Ex.: *Newton a **découvert** $\boxed{\textit{la force de gravitation en 1687}}$.*

FS

C'est la force de gravitation $\boxed{\textit{que}}$ *Newton a **découverte** en 1687.*

FS

Newton $\boxed{\textit{l'}}$*a **découverte** en 1687, la force de gravitation.*

La phrase à présentatif

La phrase à présentatif contient un mot ou un ensemble de mots qu'on appelle *présentatif*. (*Voir aussi l'unité 1, page 11.*)

Ex.: *Il y a neuf planètes dans notre système solaire.*

C'est une étoile filante.

Voici la liste des neuf planètes: Mercure, Vénus, Terre, Mars, Jupiter, Saturne, Uranus, Neptune et Pluton.

Le **présentatif** (*il y a, voici / voilà, c'est / ce sont*) est accompagné d'un ou de plusieurs groupes de mots ayant la fonction de **complément du présentatif**. Le complément du présentatif suit généralement le présentatif, mais il peut le précéder ou précéder son verbe s'il s'agit d'un pronom.

compl. du présentatif   compl. du présentatif

Ex. : *Voici* ⎡*la liste des neuf planètes*⎤. ⎡*La*⎤ *voici.*

compl. du présentatif   compl. du présentatif

Il y avait ⎡*des étoiles*⎤. *Il y* ⎡*en*⎤ *avait.*

Généralement, on emploie *voici* pour annoncer ce qui suit et *voilà* pour faire référence à ce qui précède ou, à l'oral, *voici* pour ce qui est plus près et *voilà* pour ce qui est plus éloigné.

▶ **REMARQUE** Les présentatifs *il y a* et *c'est* comprennent un verbe qui peut varier en temps et en mode (ex. : *il y avait, ce sera*). Seul le verbe du présentatif *c'est* se met à la 3e personne du pluriel (ex. : *ce sont*). Le verbe du présentatif *il y a* est toujours à la 3e personne du singulier, comme son GNs *il* (ex. : *Il y avaient des étoiles*). ◀

Quelques erreurs fréquentes

Voici des erreurs fréquentes liées à l'emploi de la phrase emphatique et de la phrase à présentatif. Après les séances d'exercices qui suivent, vous serez en mesure d'éviter de telles erreurs ou de les corriger dans vos textes. Consultez le tableau ci-dessous en tout temps et particulièrement dans la séance d'entraînement quand vous verrez le pictogramme ⓪ correspondant à chaque cas d'erreur.

> Tout en lisant la description et la correction des erreurs, surlignez ce qui pourrait vous être utile lorsque vous réviserez vos textes.

EXEMPLES D'ERREURS	DESCRIPTION ET CORRECTION DES ERREURS	
Je ne sais pas ~~c'est~~ qui ~~qui~~ est allé sur la Lune le premier. ~~C'est~~ depuis quand ~~que~~ l'humain voyage dans l'espace? *(D / est-ce que)* ~~C'est~~ depuis quand ~~que~~ l'humain voyage-t-il dans l'espace? *(ou / D)*	Le marqueur d'emphase *c'est… que* ou *c'est… qui* est employé pour mettre en relief un marqueur interrogatif ou un subordonnant comme *quand, qui, pourquoi*. ➲ **Correction :** Supprimer le marqueur d'emphase. S'il s'agit d'une phrase de type interrogatif, employer soit *est-ce que*, soit l'inversion ou la reprise du GNs.	①
C'est <u>moi</u> (qui) a compté le plus d'étoiles filantes. *(1S / ai)* C'est <u>toi et Maria</u> (qui) iront au planétarium de Montréal. *(2P / irez)*	L'accord du verbe qui suit *c'est… qui* est incorrect : le verbe est à la 3e personne du singulier alors que l'antécédent du GNs *qui* n'est pas à cette personne. ➲ **Correction :** Donner au verbe la personne et le nombre de l'antécédent de *qui*.	②
C'est une <u>étoile</u> filante ⎡que⎤ tu as aperçu. *(FS / e)* L'as-tu aperçu, l'<u>étoile</u> filante? *(e / FS)*	Le participe passé du verbe n'est pas accordé alors qu'un pronom complément direct du verbe a été placé devant le verbe par la mise en relief. ➲ **Correction :** Donner au participe passé le genre et le nombre de l'antécédent du pronom complément direct du verbe.	③

SUITE ▷

EXEMPLES D'ERREURS	DESCRIPTION ET CORRECTION DES ERREURS	
Ce que tu as aperçu, c'est une étoile filante. La distance qui sépare la Terre et la Lune, je la connais. Je la connais, la distance qui sépare la Terre et la Lune.	La virgule est omise dans la mise en relief à l'aide de *ce que/ce qui…, c'est* ou par détachement à l'aide d'un pronom. ⊃ **Correction :** Mettre une virgule devant le *c'est*. Dans la mise en relief avec pronom, mettre une virgule après le groupe mis en relief s'il est au début de la phrase ou une virgule devant ce groupe s'il est à la fin de la phrase.	4
C'est (~~les mon~~ ; *ce sont mes…*) ~~Ces~~ mon télescope que tu utilises. C' (~~il s'est mon tour~~) *ce* ~~S'~~est mon tour de regarder ; ~~se~~ sera le tien très bientôt. (*ce seront* les tiens)	Le *c'est* ou seulement le *ce* (*c'*) du marqueur d'emphase ou du présentatif est orthographié comme un autre mot homophone (ex. : *s'est, ces, ses, sais, sait* ou seulement *se*). ⊃ **Correction :** Orthographier correctement le mot se prononçant « sè » ou « se » en vérifiant sa catégorie à l'aide de manipulations, par exemple : ■ vérifier si on peut le remplacer par *savais, savait* (verbe *savoir*) : *sais* ou *sait* ; ■ vérifier s'il s'agit d'un déterminant en le remplaçant par *les, mes, tes* ; ■ mettre ce qui suit *c'est* au pluriel et remplacer *c'est* par *ce sont* ; ■ s'assurer qu'on ne peut pas employer le GNs *il* devant *c'est* ; on l'emploie seulement devant le *s'est* d'un verbe pronominal (ex. : *Il s'est évanoui*).	5

⊞ Séance d'échauffement

≡ MON OUVRAGE DE RÉFÉRENCE

TITRE : _____

MOTS CLÉS : *phrase neutre, phrase emphatique, formes de phrases.*

PAGES : _____

1 Comparez les phrases emphatiques à la phrase neutre dans le tableau ci-dessous et complétez les énoncés ci-après.

PHRASES DE FORME EMPHATIQUE	PHRASE DE FORME NEUTRE
C'est ⬚Joey⬚ **qui** a vu des météores hier soir. **C'est** ⬚hier soir⬚ **que** Joey a vu des météores. **Ce sont** ⬚des météores⬚ **que** Joey a vus hier soir. **Ce que** Joey a vu hier soir, **ce sont** ⬚des météores⬚. ⬚Des météores⬚, Joey **en** a vu hier soir. Joey **en** a vu hier soir, ⬚des météores⬚.	Joey a vu des météores hier soir.

- La phrase _____ peut être conforme au modèle de la PHRASE DE BASE,

GNs + GV + Gcompl. P

(ex. : [   ] [   ] [   ]), alors que

la phrase _____ ne peut pas l'être.

- Il y a trois façons de former une phrase emphatique :

1 encadrer un groupe de mots par _____ ou

_____ ;

2 ajouter _____ en début de phrase et _____

devant le groupe de mots en relief ;

3 détacher un groupe de mots en début ou en fin de phrase et le reprendre par

un pronom (ex. : _____).

- Le groupe de mots mis en relief peut avoir différentes fonctions dans la phrase
neutre, par exemple :

- sujet (ex. : _____) ;

- complément direct ou indirect du verbe (ex. : _____) ;

- complément de phrase (ex. : _____).

2 **a)** Soulignez les marques d'emphase dans les phrases suivantes, puis transformez ces
phrases en phrases neutres.

1 C'est la galaxie d'Andromède qui est la plus proche de la nôtre.

_____

2 C'est quand le ciel est sans nuages qu'on peut apercevoir la Voie lactée.

_____

3 Ce que nous avons aperçu dans le ciel hier soir, c'est la Voie lactée.

_____

4 Nous l'avons aperçue hier soir, la Voie lactée.

_____

5 Nous lui avons posé plusieurs questions, à cet astronome.

_____

b) Dans vos phrases, encadrez le groupe de mots qui était mis en relief et indiquez
au-dessus sa fonction (sujet, compl. dir. du V, compl. indir. du V, compl. de P).

c) Observez l'élément mis en relief dans les phrases **4** et **5**.

- Pouvez-vous le supprimer sans rendre la phrase incorrecte ? _____

- Pouvez-vous faire de même dans les phrases **1** à **3** ? _____

- Quelle sorte de mise en relief a-t-on employée dans les phrases **4** et **5** ?

  _____

  _____

3 Observez les ensembles de phrases, puis indiquez si chaque énoncé est vrai ou faux.

1 - **C'est** Copernic **qui** a découvert que la Terre tournait autour du Soleil.

- Est-ce que **c'est** Copernic **qui** a découvert que la Terre tournait autour du Soleil ?

- ~~C'est~~ qui **qui** a découvert que la Terre tournait autour du Soleil ?
  (Q au-dessus de « C'est »)

VRAI	FAUX

C'est... qui ne peut pas encadrer un GNs.

C'est... qui ne peut pas encadrer un mot interrogatif.

C'est... qui ne peut pas être employé dans une phrase interrogative.

2 - **C'est** au début du XVIᵉ siècle **que** Copernic a découvert que la Terre tournait autour du Soleil.

- Est-ce que **c'est** au début du XVIᵉ siècle **que** Copernic a découvert que la Terre tournait autour du Soleil ?

- ~~C'est~~ quand ~~que~~ Copernic a découvert que la Terre tournait autour du Soleil ?
  (Q   est-ce que au-dessus)

VRAI	FAUX

C'est... que ne peut pas être employé dans une phrase interrogative.

C'est... que ne peut pas encadrer un Gcompl. P.

C'est... que ne peut pas encadrer un mot interrogatif.

4 **a)** Dans les phrases suivantes, relevez le numéro des phrases à présentatif et soulignez les présentatifs. _____

☰ MON OUVRAGE
DE RÉFÉRENCE

TITRE : _____

_____

MOTS CLÉS : *phrase à construction particulière, phrase à présentatif.*

PAGES : _____

1 C'est aujourd'hui le 31 décembre et **2** voici votre bulletin de météo . **3** Il y aura une faible neige cet avant-midi et du soleil toute la journée . **4** Le vent soufflera de 15 à 20 km/h . **5** Il se lèvera en soirée pour atteindre jusqu'à 60 km/h cette nuit . **6** Il vaudrait mieux que vous vous couvriez bien si vous faites des sports extérieurs en soirée . **7** Cependant , ce sont de belles conditions pour le ski en journée . **8** Voilà pour aujourd'hui ; à demain .

b) Encerclez les pronoms *il*, puis relevez le numéro de la phrase où *il* a un <u>antécédent</u>. Transcrivez cet antécédent.

Phrase numéro : _____   Antécédent : _____

Séance d'entraînement

1 **a)** Dans les phrases suivantes, encadrez chaque élément qui a été mis en relief à l'aide   **1**
de *c'est… que* ou de *c'est… qui*. Si l'élément contient un mot interrogatif, soulignez-le
et corrigez la phrase.

Q   -t-on
Ex. : ~~C'est~~ |quel nom| ~~qu'on~~ donne ^ à la différence d'heures entre deux fuseaux horaires ?

Attention, ℮rreurs !

1 C'est pourquoi que tous les humains de la Terre ne voient pas le

Soleil en même temps ?

2 Sais-tu c'est comment qu'on appelle l'écart de temps entre deux fuseaux

horaires ?

3 C'est parce que la Terre est ronde que le décalage horaire existe .

4 Dites-moi c'est combien d'heures de décalage qu'on peut trouver au plus

entre deux villes .

• • •

5 Je ne sais pas c'est qui qui pourrait me dire combien il y a d'heures

de décalage horaire entre Québec et Madagascar .

_____

b) Dans la phrase suivante, encadrez l'élément qui peut être mis en relief à l'aide de *c'est… que* et supprimez le *que* en trop.

C'est quand que la Terre a effectué une rotation complète sur elle-même

qu'un nouveau jour commence.

2 Dans les phrases suivantes, mettez le groupe de mots encadré en relief à l'aide de *c'est… que* ou de *c'est… qui.* Si ce groupe est un GN à la troisième personne du pluriel, employez *ce sont… que / qui.*

1 La Terre effectue une rotation sur elle-même et une révolution autour du Soleil. Ces deux mouvements influencent le rythme de notre vie.

_____

_____

2 La Terre prend une journée complète pour effectuer une rotation.

_____

_____

3 Plus exactement, la Terre prend 23 heures 56 minutes et 4 secondes pour effectuer sa rotation.

_____

_____

_____

4 La Terre accomplit sa rotation d'Est en Ouest.

_____

_____

5 On divise la Terre en 24 fuseaux horaires.

_____

_____

3 **a)** Au-dessus de l'<u>antécédent</u> de *qui*, inscrivez sa personne et son nombre (1S, 2S, 3S, 1P, 2P, 3P), puis, à l'aide d'une flèche, reliez *qui* au verbe qui reçoit son accord.

b) Récrivez les phrases en remplaçant l'antécédent de *qui* par un antécédent à la personne indiquée.　②

1 C'est <u>nous</u> **qui** avons pris la plus belle photo de coucher de Soleil.

Antécédent de *qui* à la 2e personne du pluriel : _____

_____

2 C'est <u>lui</u> **qui** a vu le lever du Soleil ce matin.

Antécédent de *qui* à la 2e personne du singulier : _____

_____

3 C'est <u>elle</u> **qui** est allée au Pôle Nord.

Antécédent de *qui* à la 1re personne du singulier : _____

_____

4 C'est <u>nous</u> **qui** recevrons un globe terrestre.

Antécédent de *qui* à la 3e personne du pluriel : _____

_____

5 Ce sont <u>elles</u> **qui** iront en Équateur cet été.

Antécédent de *qui* à la 1re personne du pluriel : _____

_____

4 Dans les phrases suivantes, coordonnez un autre GN à celui mis en relief à l'aide de　②
c'est… qui et accordez correctement le verbe entre parenthèses.

1 C'est _____ et moi qui (*observer*, passé composé) _____ l'éclipse avec des lunettes spéciales.

2 C'est toi et _____ qui (*voir*, passé composé) _____ une éclipse solaire à la télévision.

3 C'est vous et _____ qui (*lire*, présent) _____ une aventure de Tintin intitulée *Le temple du Soleil*.

4 C'est elle et _____ qui (*aimer*, conditionnel présent) _____ voir une éclipse lunaire.

5 C'est _____ et nous qui (*lire*, futur simple) _____ une aventure de Tintin intitulée *On a marché sur la Lune*.

P **5** **a)** Dans les phrases ci-après, encadrez les groupes de mots auxquels les pronoms en gras font référence. **4**

b) Si le groupe de mots auquel le pronom fait référence est mis en relief, détachez-le à l'aide d'une virgule.

> **AU BESOIN,** pour vérifier qu'il s'agit bien d'un groupe de mots mis en relief, assurez-vous qu'il est supprimable.

1 La masse du Soleil **les** attire comme un aimant les neuf planètes .

2 Newton **l'**a découverte en 1687 la force de gravitation .

3 Des satellites comme la Lune la plupart des planètes **en** ont .

4 La planète Vénus est si brillante qu'on **la** confond parfois avec une étoile .

5 La planète Jupiter **elle** est la plus imposante des planètes .

P **6** **a)** Dans les phrases suivantes, soulignez les marqueurs d'emphase *ce que/ce qui…, c'est.* **4**

b) Ajoutez une virgule devant *c'est / ce sont* au besoin.

1 Ce que nous voyons lorsque nous regardons la Lune ce sont ses cratères.

2 Je crois que ce qui surprend le plus c'est que, de la Terre, nous percevons la Lune et le Soleil pratiquement de la même grosseur.

3 Croyez-vous que c'est sur la Terre seulement qu'il y a de la vie ?

D **7** **a)** Mettez en relief le GN complément direct du verbe encadré selon la façon indiquée à la suite de chacune des phrases. **3 et 4**

Portez une attention particulière à la ponctuation dans vos phrases.

b) Si un pronom complément direct passe devant le verbe, reliez-le au participe passé à l'aide d'une flèche et accordez ce participe passé.

1 Lisa a illustré les quatre points cardinaux .

Mise en relief par détachement et pronom : _____

_____

2 Elle a illustré la rose des vents par une figure géométrique en forme d'étoile.

Mise en relief à l'aide de *ce que…, c'est* : _____

_____

3 Vincent et Lisa ont utilisé une boussole pour s'orienter en forêt.

Mise en relief à l'aide de *c'est… que* : _____

_____

8 **a)** Dans le texte suivant, soulignez les marqueurs d'emphase et surlignez tous les mots **⑤** qui se prononcent « sè » ou « se ».

b) Corrigez l'orthographe des mots qui se prononcent « sè » ou « se ».

Attention, erreurs !

On s'est que la Lune est située à environ 384 000 km de la Terre. Ces sa plus proche

voisine et aussi son seul satellite naturel. La Lune prend un peu plus de 29 jours

pour faire le tour de la Terre et, en même temps, elle fait aussi une rotation sur

elle-même. C'est pour cette raison qu'elle nous montre toujours la même face.

La Lune ressemble à notre planète : elle a ces jours et ces nuits ; elle a aussi un sol

semblable à celui de la Terre. Se qui frappe, c'est l'apparence de la Lune. Vers 1609,

lorsque Galilée sait mis à l'observer à travers ses appareils, ce qu'il vit, se sont

d'immenses étendues sombres qu'il appela « mers », entourées de surfaces plus

brillantes qu'il apparenta aux continents. Il s'est avéré que c'étaient des plaines de

poussière grisâtre, des plateaux et même des montagnes qui peuvent dépasser les

plus hauts sommets de notre planète.

D'après Gaston Côté, *La Terre, planète habitée*,
© Les Éditions CEC, 1992, page 35.

9 **a)** Dans les phrases suivantes, employez un présentatif (*c'est, ce sont, voilà, voici, il y a*) **5** devant chaque groupe de mots en vous assurant que tous les présentatifs sont utilisés au moins une fois.

1 _____ plusieurs galaxies dans l'univers.

2 _____ des dangers à regarder une éclipse à l'œil nu ; _____ vos lunettes.

3 _____ l'éclipse.

4 _____ merveilleux de pouvoir observer une éclipse sans danger !

5 _____ des expériences inoubliables !

b) Récrivez les phrases à présentatif où vous avez employé *voici* et *voilà* et remplacez le complément du présentatif par un pronom devant le présentatif.

_____ _____

Qualification pour l'épreuve finale

1 Complétez la révision du texte ci-après à l'aide des pistes de révision ci-dessous. Cochez une case chaque fois qu'une piste vous aide à corriger une erreur. Les autres cases vous serviront au numéro **2**.

PISTES DE RÉVISION

Grammaire de la phrase

☐ ☐ Encercler les marques d'emphase et les présentatifs.

☐ ☐ S'assurer qu'un mot interrogatif n'est pas mis en relief à l'aide de *c'est… que / c'est… qui*.

Ponctuation

☐ ☐ Vérifier l'emploi de la virgule dans les phrases emphatiques (devant *c'est* et avec un groupe de mots détaché à l'aide d'un pronom).

Orthographe

☐ ☐ Souligner les verbes précédés de *c'est… qui*, indiquer la personne et le nombre de l'antécédent de *qui* et vérifier l'accord du verbe.

☐ ☐ Souligner les verbes *avoir* dont le GNs est *il(s)* et en vérifier l'orthographe.

☐ ☐ Vérifier l'accord des participes passés dans les phrases emphatiques où un pronom complément direct du verbe (*que, le (l'), la (l'), les*) se trouve devant le verbe ; indiquer le genre et le nombre de ce pronom, selon son antécédent.

☐ ☐ Surligner les mots qui se prononcent « sè » et « se » et vérifier leur orthographe.

Attention, erreurs !

Il y a longtemps (en 1564), à Pise (oui, oui, ~~s'est~~ *c'est* bien là (que) se trouve la fameuse tour penchée), naissait un homme qui allait faire basculer la vision du monde de cette époque. Cet homme s'appelait Galilée.

Après avoir fait des études en médecine et en mathématiques, Galilée c'est mis à s'intéresser à l'astronomie. Ces lui qui a conçu la première lunette astronomique. Ce qui est merveilleux c'est que cette lunette lui a permis de découvrir que la mystérieuse Voie lactée n'était pas une simple traînée blanche dans le ciel, mais qu'ils y avaient des millions d'étoiles qui la constituaient. Il les a vu toutes petites, les étoiles, alors que les planètes apparaissaient plus grandes avec la lunette. Voilà ce qui lui a permis d'affirmer que ses étoiles étaient plus éloignées de la Terre que les planètes.

---

2 **a)** Choisissez un des parcours suivants et, sur une feuille mobile, écrivez votre texte que vous réviserez à l'aide des pistes de révision données au numéro **1**. Cochez une case chaque fois qu'une nouvelle piste vous permet de corriger une erreur.

Employez au moins une fois chaque façon de faire une mise en relief et au moins deux présentatifs différents.

Parcours narratif

Écrivez un court paragraphe racontant une tranche de vie d'un personnage célèbre qui vous intéresse particulièrement.

Parcours explicatif

Écrivez un texte dans lequel vous expliquez brièvement un phénomène qui paraît intriguant (par exemple, les étoiles filantes, les aurores boréales, la mue chez les animaux).

b) Dans la grille de révision qui suit, insérez les pistes de révision qui vous ont été les plus utiles. Vous pouvez les personnaliser et en ajouter. Dans la colonne de droite, inscrivez les pages de vos ouvrages de référence et quelques trucs.

VERS UNE GRILLE DE RÉVISION

QUELQUES PISTES DE RÉVISION	MES OUTILS ET MES TRUCS

GRAMMAIRE DE LA PHRASE

ORTHOGRAPHE

PONCTUATION

Le discours rapporté

Peu importe ce que nous disons ou ce que nous écrivons, une partie de nos propos nous vient des autres : de ce qu'ils ont dit avant nous, de ce qu'ils ont écrit avant nous. Parfois, nous gagnons à préciser que nos propos ne viennent pas de nous et employons alors le discours rapporté. Par exemple, pour donner de la crédibilité à une explication, on peut citer les propos de personnes d'expérience. Comme le dit la femme de lettres française Marie Darrieussecq, « pour écrire, il faut avoir un imaginaire qui tend vers les autres ».

⊞ Synthèse des connaissances

Tout en lisant, surlignez les éléments qui vous semblent essentiels pour bien comprendre ce qui distingue le discours rapporté direct et le discours rapporté indirect.

On entend généralement par discours rapporté le fait d'insérer dans un texte des paroles qui ont été émises préalablement dans une autre situation de communication. Ces **paroles rapportées** directement ou indirectement peuvent provenir de deux sources.

- Ces **paroles** peuvent provenir de l'**émetteur du texte**.

  Ex. : *Dès la première partie de l'équipe canadienne de hockey féminin aux Jeux de Salt Lake*

  discours rapporté direct

  City, je me suis dit : « Avec Kim dans les buts, elles vont sûrement remporter l'or ! »

- Ces **paroles** peuvent provenir d'une **autre personne que l'émetteur du texte**.

  discours rapporté direct

  Ex. : *« Toute cette affaire m'a un peu déçue de mon sport », a avoué **la patineuse Marie-France Dubreuil**, en faisant référence à la corruption de certaines juges aux*

  discours rapporté indirect

  *jeux Olympiques. **Elle** a poursuivi en soutenant qu'elle ne pensait pas que ces compétitions pouvaient être corrompues à ce point.*

Le discours rapporté direct et le discours rapporté indirect sont deux façons de rapporter des paroles.

Le discours rapporté direct

Le discours rapporté direct consiste à **rapporter des paroles exactement comme elles ont été dites ou écrites** par leur émetteur (ou comme elles seraient dites par un personnage).

Ex. : *« Toute cette affaire m'a un peu déçue de mon sport », a avoué la patineuse Marie-France Dubreuil, en faisant référence à la corruption de certaines juges aux jeux Olympiques.*

Les paroles rapportées directement se présentent généralement comme une citation, c'est-à-dire **entre guillemets**. Elles sont souvent accompagnées d'un verbe introducteur (il s'agit d'un verbe de parole comme *dire, proposer, penser, ordonner,* etc.) ou d'une phrase incise, laquelle contient aussi un verbe de parole.

Voici quelques façons de rapporter des paroles en discours direct.

DISCOURS RAPPORTÉ DIRECT	EXEMPLES
À la suite d'un **verbe introducteur** et du **deux-points.**	*Dans un communiqué, Mario Lemieux <u>a dit</u> :* « *Je suis très déçu de devoir m'absenter du jeu.* »
Dans une subordonnée complétive (*voir l'unité 1, page 9*) <u>complément direct ou indirect</u> du **verbe introducteur.**	subordonnée complétive *Réjean Tremblay <u>a écrit</u>* **que** « *Gilles Baril, lorsqu'il était responsable du Loisir et du Sport, rêvait d'une vraie politique du sport pour la jeunesse québécoise* ».
Avec une **incise** au cœur d'une phrase rapportée.	« *Je suis très déçu, <u>a dit Mario Lemieux</u>, de devoir m'absenter du jeu.* »
Avec une **incise** après une phrase rapportée.	« *Je suis très déçu de devoir m'absenter du jeu* », <u>*a dit Mario Lemieux*</u>.

Ponctuation et signes typographiques

Voici les principales règles de ponctuation à respecter pour insérer un discours rapporté direct dans un texte.

Insérez les signes qui conviennent dans les espaces.

RÈGLE 1 : Les **guillemets** encadrent les paroles rapportées directement.

   Ex. : ☐ *Dans une équipe, on ne fait pas ce qu'on veut* ☐, *explique Patrice Brisebois.*

RÈGLE 2 : Le **deux-points** suit le verbe introducteur annonçant les paroles rapportées directement, sauf si ces paroles sont insérées dans une subordonnée complétive.

   Ex. : *En commentaire au départ impromptu de son coéquipier Odjick pendant une partie, Patrice Brisebois <u>explique</u>* ☐ « *Dans une équipe, on ne fait pas ce qu'on veut.* »

   En commentaire au départ impromptu de son coéquipier Odjick pendant une partie,

   subordonnée complétive

   Patrice Brisebois <u>explique</u> **que** « *dans une équipe, on ne fait pas ce qu'on veut* ».

RÈGLE 3 : **Deux virgules** encadrent l'incise au cœur d'une phrase rapportée.

> Ex. : «*Dans une équipe* ☐ *explique Patrice Brisebois* ☐ *on ne fait pas ce qu'on veut*».

Une virgule précède l'incise à la fin d'une phrase rapportée (sauf si cette phrase se termine par un point d'interrogation, un point d'exclamation ou les points de suspension).

> Ex. : «*Dans une équipe, on ne fait pas ce qu'on veut*» ☐ *explique Patrice Brisebois*.

> «*Mais qui donc va donner aux enfants le goût du sport et de l'éducation sportive?*» *s'interroge Réjean Tremblay, en réaction à la diminution du temps consacré à l'éducation physique à l'école.*

RÈGLE 4 : Un **tiret** précède les répliques des différentes personnes ou personnages lorsque les paroles rapportées sont un dialogue.

> Ex. : *Dans le premier paquet de cartes de sa vie, elle tombe sur Jean Béliveau, la carte qui me manque.*
>
> *Vivement, je réagis.*
>
> *— Je vais te l'échanger.*
>
> *— Contre quoi? s'oppose ma mère. Jean Béliveau, c'est la carte la plus rare. Toi-même, tu n'arrêtes pas de le répéter.*

> Raymond Plante, «La société des partisans disparus»,
> *Une enfance bleu-blanc-rouge*, Montréal,
> Les éditions Les 400 coups, 2000, page 106.

Le discours rapporté indirect

Le discours rapporté indirect consiste à **rapporter des paroles en les reformulant** pour qu'elles ne se distinguent pas du reste du texte.

Ex. : *La patineuse Marie-France Dubreuil soutient qu'elle ne pensait pas que les compétitions de patin artistique pouvaient être corrompues à ce point.*

Le discours rapporté indirect est souvent annoncé par un verbe de parole (*dire, proposer, penser, ordonner*, etc.), et est souvent reformulé à l'aide d'une subordonnée complétive ou d'une subordonnée infinitive complément de ce verbe de parole.

Sub. complét. compl. dir. du V *soutient*

Ex. : *La patineuse Marie-France Dubreuil soutient qu'elle ne croyait pas les compétitions de patin artistique corrompues à ce point.*

Sub. inf. compl. dir. du V *avoue*

Elle avoue avoir été très déçue.

Le discours rapporté indirect peut aussi être annoncé par un GPrép désignant l'émetteur des paroles (ex. : *selon telle personne, pour elle, d'après elle*).

Ex. : ***Selon plusieurs personnes**, le hockey n'est plus ce qu'il était au temps de Maurice Richard.*

Plusieurs changements sont parfois nécessaires pour passer d'un discours direct à un discours indirect, notamment des changements concernant le mode (*voir la fiche 9*), le temps et la personne du verbe ; la personne des <u>pronoms</u> et des <u>déterminants</u> ; la construction de l'interrogation (*voir l'unité 1, pages 10 et 13*).

discours direct

Ex. : « Qu'est-ce que vous pensez du bridge comme discipline olympique ? », *leur a demandé Patrick.*

discours indirect

Patrick leur a demandé ce qu'ils pensaient du bridge comme discipline olympique.

Quelques ⓔrreurs fréquentes

Voici des erreurs fréquentes liées à l'emploi du discours rapporté direct et du discours rapporté indirect, ainsi qu'au passage de l'un à l'autre. Après les séances d'exercices qui suivent, vous serez en mesure d'éviter de telles erreurs ou de les corriger dans vos textes. Consultez ce tableau en tout temps et particulièrement dans la séance d'entraînement quand vous verrez le pictogramme ⓞ correspondant à chaque cas d'erreur.

Tout en lisant la description et la correction des erreurs, surlignez ce qui pourrait vous être utile lorsque vous réviserez vos textes.

EXEMPLES D'ERREURS	DESCRIPTION ET CORRECTION DES ERREURS
(verbe introducteur) **Les parents de Claude lui répétaient :** **«L'important, c'est que tu participes et que tu t'amuses.»** **«L'important, c'est que tu participes et que tu t'amuses», lui répétaient ses parents.** (incise)	La ponctuation qui doit accompagner les paroles rapportées directement est absente. ❶ ↪ **Correction :** Employer le deux-points et les guillemets si un verbe introducteur précède les paroles rapportées. Employer les guillemets si une incise accompagne les paroles rapportées.
Les parents de Claude lui répétaient : que l'important était de s'amuser. **Tes parents te répétaient que : « l'important, c'est que tu participes et que tu t'amuses ».**	Le deux-points a été employé à tort pour introduire un discours rapporté à l'aide d'une subordonnée complétive. ❷ ↪ **Correction :** Supprimer le deux-points qui précède ou qui suit le subordonnant au début de la complétive.
« L'important, lui répétaient ses parents, c'est que tu participes et que tu t'amuses. » **« L'important, c'est que tu participes et que tu t'amuses », lui répétaient ses parents.**	Une ou deux virgules ont été oubliées pour détacher une incise. ❸ ↪ **Correction :** Encadrer l'incise de virgules si elle est au cœur d'une phrase rapportée et la faire précéder d'une virgule si elle est à la fin d'une phrase rapportée.

SUITE ▷

▸SUITE

EXEMPLES D'ERREURS	DESCRIPTION ET CORRECTION DES ERREURS
Après chaque partie de hockey, ils lui demandaient s'il s'~~est~~ _était_ amusé et ~~si tu as~~ _'il avait_ pensé à ~~tes~~ _ses_ coéquipiers. Discours direct : « T'es-tu amusé et as-tu pensé à tes coéquipiers ? »	**4** On n'a pas fait les changements de pronoms, de déterminants, ou de mode, de temps et de personne du verbe nécessaires au passage du discours direct au discours indirect. ⟳ **Correction :** ■ Remplacer par des pronoms de la 3e personne les pronoms et les déterminants de la 1re ou de la 2e personne en lien avec l'émetteur du discours ou avec la personne à qui il s'adresse. ■ S'assurer que le mode (*voir la fiche 9*), le temps et la personne du verbe conviennent au discours rapporté.
Sa jeune sœur se demandait quand ~~est-ce qu'~~elle pourrait jouer au hockey, comme son frère ~~?~~. Après chaque partie de hockey, ils lui demandaient ~~est-ce qu'~~_s'_il s'était amusé et _s'il_ ‸avait~~-il~~ pensé à ses coéquipiers~~?~~. Elle m'a dit ~~qu'est-ce qu'~~_ce qu'_elle pensait du hockey ~~?~~.	**5** On a conservé la construction de l'interrogation directe lors du passage du discours direct au discours indirect. ⟳ **Correction :** Supprimer *est-ce que, est-ce qui* ou replacer le pronom sujet devant le verbe : ■ employer le subordonnant *si* (ou *s'* devant *il/ils*) lorsqu'il s'agit d'une interrogation à laquelle on peut répondre par *oui* ou par *non* ; ■ employer *ce que* ou *ce qui* plutôt que *qu'est-ce que, qu'est-ce qui* ; ■ remplacer le point d'interrogation par un point si la phrase matrice n'est pas de type interrogatif.

⊞ Séance d'échauffement

1 Observez les discours rapportés dans les phrases du tableau suivant, puis complétez les énoncés ci-après.

≡ MON OUVRAGE DE RÉFÉRENCE

TITRE : _____

MOTS CLÉS : *discours rapporté, ponctuation, incise, subordonnée complétive.*

PAGES : _____

DISCOURS DIRECT	DISCOURS INDIRECT
« On espère faire une célébration artistique au Musée de la civilisation (à Gatineau) dans la matinée, et inviter tous les athlètes olympiques et paralympiques au Parlement », <u>a annoncé Sheila Copps, la ministre du Patrimoine canadien.</u>	Ensuite, elle a dit qu'elle espérait voir des milliers de personnes participer à la célébration. Selon elle, le couple de patineurs Salé et Pelletier aurait fait preuve de beaucoup de caractère.

- L'emploi des _____ caractérise le discours rapporté direct.

- Le discours rapporté direct et le discours rapporté indirect sont généralement accompagnés d'un verbe de parole (ex. : _____ et _____).

- La phrase incise (ex. : _____ _____), qui accompagne souvent le discours direct, comprend un verbe de parole (ex. : _____) et un GNs (ex. : _____) qui désigne _____. Dans l'incise, le GNs est placé _____ le verbe.

- Le discours rapporté indirect est souvent inséré à l'aide d'une <u>subordonnée</u> complétive complément du verbe de parole (ex. : _____ _____) ; il peut aussi être annoncé par un GPrép désignant l'émetteur des paroles (ex. : _____ _____).

2 **a)** Surlignez les paroles rapportées dans ces deux extraits d'un article de revue, puis :

- encadrez les signes graphiques qui vous ont permis de reconnaître ces paroles ;
- soulignez les incises ou seulement les verbes introducteurs qui accompagnent ces paroles.

1 « Mélanie Turgeon a un caractère de cochon, mais on ne fait pas des championnes de ski avec des anges », dit **affectueusement** Piotr Jelen, entraîneur et mentor de la skieuse québécoise.

2 « En course, je ne pense qu'à une chose : aller vite », dit Mélanie Turgeon. Avant d'ajouter, **comme si elle trouvait sa réponse un peu banale** : «En compétition, je souhaite toujours réaliser la descente, atteindre l'équilibre parfait entre la vitesse maximale et la maîtrise de mes skis […]»

Simon Kretz, «La vie, la vie à 120 km/h», *L'actualité*, 1er février 2002, page 44.

b) À partir des extraits en **a)**, répondez aux questions suivantes.

QUESTIONS	EXTRAIT 1	EXTRAIT 2
Qui est l'émetteur des paroles rapportées?	_____	_____
Qui rapporte les paroles?	_____	_____
Qui est l'émetteur du passage en gras?	_____	_____

3 **a)** Dans l'extrait suivant, soulignez les verbes de paroles qui introduisent les paroles rapportées indirectes en couleur.

b) Soulignez de deux traits deux autres verbes de paroles qui n'introduisent pas de paroles rapportées.

[...] *Palouf, la mascotte locale qui a un air de famille avec Youppi, convie* **1** *les spectateurs à un «concours de bruit».* [...]

Le monsieur furieux à mes côtés participe au concours à sa façon. Il grogne bruyamment. Je le regarde rugir et je repense à l'histoire de Thomas Junta, ce «gentil géant» du Massachusetts qui a battu à mort un père de famille lors d'une séance d'entraînement de hockey à laquelle participaient leurs jeunes fils. Vendredi dernier, il a été condamné à une peine de prison de six à dix ans.

On a dit de Junta qu' **2** *il était un homme honnête, un bon mari, un bon père, un chauffeur de camion terre-à-terre qui travaillait fort.*

Comment ce gars gentil a-t-il pu se transformer en brute enragée? Junta dit **3** *n'avoir voulu que protéger son fils.*

Comment peut-on en arriver là? Pourquoi des parents s'emballent-ils autant pour un jeu d'enfants? [...]

Rima Elkouri, «La faute à l'arbitre», La Presse, 30 janvier 2002.

c) Parmi les deux reformulations proposées pour chacune des paroles rapportées, rayez celle qui ne pourrait pas correspondre à la parole telle qu'elle a été dite.

1 Palouf, je t'invite à participer au concours de bruit.

Chers amis, participez à mon concours de bruit!

(_____)

2 Junta est un homme honnête, un bon mari et un bon père. Junta est un chauffeur de camion terre-à-terre qui travaille fort.

Je suis un homme honnête, un bon mari et un bon père. Je suis un chauffeur de camion terre-à-terre qui travaille fort.

(_____)

3 Il a juste voulu protéger son fils.

J'ai juste voulu protéger mon fils.

(_____)

d) Dans les parenthèses qui suivent les paroles reformulées en **c)**, inscrivez qui est leur émetteur ou qui sont leurs émetteurs.

4 **a)** Comparez la construction des interrogations rapportées en discours direct et en discours indirect qui figurent en couleur dans le tableau suivant et soulignez les différences dans ces paroles rapportées.

≡ MON OUVRAGE DE RÉFÉRENCE

TITRE : _____

MOTS CLÉS : *type interrogatif, subordonnée complétive.*

PAGES : _____

DISCOURS DIRECT	DISCOURS INDIRECT
1 «Quand comprendrez-vous que nos enfants ont envie de s'amuser et non de se surpasser à tout prix?» ont demandé les parents à l'entraîneur.	**1** Les parents ont demandé à l'entraîneur quand il comprendrait que leurs enfants ont envie de s'amuser et non de se surpasser à tout prix.
2 Il leur a demandé à son tour: «Est-ce que vous croyez que vos cris sont encourageants pour vos filles quand elles ratent une occasion de faire un but?»	**2** Il leur a demandé à son tour s'ils croyaient que leurs cris étaient encourageants pour leurs filles quand elles rataient une occasion de faire un but.
3 «Qu'est-ce que l'esprit d'équipe?», je vous le demande.	**3** Je vous demande ce qu'est l'esprit d'équipe.

b) Cochez le discours rapporté selon les caractéristiques de l'interrogation ci-dessous.

CARACTÉRISTIQUES DE L'INTERROGATION	DISCOURS DIRECT	DISCOURS INDIRECT
L'interrogation est une construction de type interrogatif (*voir l'unité 1, page 10*).		
L'interrogation est formulée dans une subordonnée complétive interrogative (*voir l'unité 1, page 9*).		
L'interrogation peut se construire avec *est-ce que* ou *est-ce qui*.		
L'interrogation peut se construire avec l'inversion du pronom sujet et du verbe.		
L'interrogation est marquée par le point d'interrogation.		

c) À l'aide des paroles rapportées en **a)**, relevez trois <u>classes de mots</u> qui subissent des changements lorsqu'on passe du discours direct au discours indirect, mis à part les éléments de l'interrogation. Donnez deux exemples pour chaque classe de mots.

_____

_____

_____

Séance d'entraînement

1 a) Parmi les quatre verbes de parole en gras du texte suivant, deux font partie d'une incise. **1et2**

- Soulignez d'un trait ondulé chaque incise.

- Surlignez les paroles rapportées directement qui précèdent l'incise et, s'il y a lieu, celles qui la suivent.

AU BESOIN, pour vous aider à délimiter les paroles rapportées, soulignez les pronoms et les déterminants de la 1re et de la 2e personne ainsi que les verbes qui ne sont pas au même temps que dans le reste du texte.

Attention, erreurs !

Étudiante en éducation physique en 2001, Sophie Simard a été nommée athlète par excellence de l'Université Laval, nageuse de l'année au Québec et nageuse de l'année au Canada.

Le secret de Sophie ? La discipline . Je trouve du temps pour faire tout ce que j'ai à faire , **dit**-elle . Mais j'ai de la discipline . Pour être plus disponible à son entraînement , elle a décidé de faire son baccalauréat plus lentement . Chaque semaine , l'athlète consacre de 20 à 25 heures à l'entraînement ; elle se lève tous les matins à cinq heures . L'un de ses objectifs est de participer aux jeux Olympiques de 2004 à Athènes . À ce sujet , son entraîneur **<u>dit</u>** qu' elle est capable de faire une finale aux prochains jeux Olympiques .

Par la suite , Sophie désire faire une maîtrise en gestion du sport et avoir des enfants aussi . La famille est très importante pour moi , **affirme**-t-elle . En fait son rêve est simple , et elle l'<u>**exprime**</u> tout simplement Je veux être bien dans ma peau et rendre mon entourage heureux .

Adapté de Sylvie Ruel, «Comme un poisson dans l'eau», _Contact, le magazine des diplômés et des partenaires de l'Université Laval_, automne 2001, pages 16-17.

b) Surlignez les paroles rapportées qui suivent les verbes introducteurs soulignés dans le texte précédent et, si elles sont dans une <u>subordonnée</u> complétive, encadrez le <u>subordonnant</u> (*que, si, quand,* etc.).

c) Mettez les paroles rapportées entre guillemets et ajoutez un deux-points devant les guillemets s'il n'y a pas d'incise et pas de subordonnée complétive.

P **2** Dans les phrases suivantes, soulignez les incises d'un trait ondulé et rétablissez les virgules qui doivent les accompagner. **3**

Attention, erreurs !

1 « Sophie a touché le fond et elle est devenue beaucoup plus forte souligne son entraîneur. Elle a tout un caractère ! »

2 « Mes parents m'ont toujours soutenue et encouragée dit-elle probablement parce que je n'ai jamais négligé mes études au profit du sport. »

P **3** À l'aide des renseignements donnés entre parenthèses, formulez une incise et insérez-la à l'endroit indiqué par le symbole ∧. **3**

- Variez les verbes de parole que vous employez.
- Accompagnez au moins un verbe d'une <u>expansion</u> précisant la manière dont les paroles ont pu être dites.

   Ex. : « Le sport ∧ va chercher la peur pour la dominer, la fatigue pour en triompher, la difficulté pour la vaincre. » (Pierre de Coubertin, initiateur des jeux Olympiques modernes)

   expansion du verbe
   « Le sport, affirma avec conviction Pierre de Coubertin, l'initiateur des jeux Olympiques modernes, va chercher la peur pour la dominer, la fatigue pour en triompher, la difficulté pour la vaincre. »

1 « Les hommes ∧ pratiquent le stress comme si c'était un sport. » (Madeleine Ferron, romancière)

_____
_____
_____

2 « Ce qu'il y a de drôle dans le sport, ∧ c'est de se salir. » (Calvin, personnage de la bande dessinée *Calvin et Hobbes,* de Bill Watterson)

_____
_____

3 « La grammaire est, après le cheval, et à côté de l'art des jardins, l'un des sports les plus agréables. » ∧ (Alexandre Vialatte, romancier et chroniqueur)

_____

_____

_____

_____

4 Dans le texte ci-après, quatre paroles rapportées devraient être en discours direct. Repérez-les et rétablissez la ponctuation qui accompagne habituellement le discours rapporté direct.

Au Besoin, suivez les étapes suivantes pour délimiter les paroles rapportées.

☐ Soulignez les verbes de paroles et, s'ils sont dans une incise, soulignez cette incise d'un trait ondulé.

☐ Surlignez les paroles rapportées qui précèdent l'incise et, s'il y a lieu, celles qui la suivent. (Pour vous aider, observez les déterminants et les pronoms de la 1re et de la 2e personne.)

☐ Surlignez les paroles rapportées qui suivent le verbe introducteur et, si elles sont dans une subordonnée complétive, encadrez le subordonnant (*que, si, quand,* etc.).

☐ Mettez les paroles rapportées entre guillemets.

☐ Détachez l'incise à l'aide d'une virgule ou de deux, selon sa place.

☐ Employez le deux-points devant les guillemets s'il n'y a pas d'incise et pas de subordonnée complétive.

Attention, erreurs !

Karine Vanasse est une jeune comédienne québécoise qu'on a pu admirer dans le film de Léa Pool *Emporte-moi*, dans la série *Deux frères* et dans *Les débrouillards*. En plus de sa passion pour le cinéma, Karine a développé une passion pour le sport. Faire du sport, c'est un prétexte pour sortir du quotidien, pour décrocher dit-elle avec spontanéité. Elle pratique la planche à neige, le vélo et le «tumbling» (gymnastique à mains libres). Ce dernier sport consiste à enchaîner des flips (ou flips-flaps), comme le font les gymnastes. Quand j'ai vu mes deux jeunes frères pratiquer ça l'an dernier, avoue-t-elle, j'ai tout de suite eu le goût d'essayer, et j'ai eu la piqûre. Mais je n'ai pas le temps de pratiquer autant que je le voudrais. Elle n'est donc

• • •

pas la seule sportive de la famille. En effet, elle raconte On a toujours fait de l'activité physique chez nous. Pour mes parents, c'est une valeur importante qu'ils nous ont transmise, à moi, ma sœur et mes deux frères. Pour cette raison, concernant les résultats alarmants des études sur l'activité physique pratiquée chez les jeunes, elle soutient que les jeunes, en général, pourraient faire beaucoup plus d'activités, et faire plus attention à leur alimentation.

D'après André Bérubé, «Une bonne dose de vitalité signée Karine Vanasse», www.journalsportif.com.

5 **a)** Dans la colonne de gauche, soulignez les <u>déterminants</u> et les <u>pronoms</u> de la première et de la deuxième personne. **4**

b) Dans la colonne de droite, employez les déterminants et les pronoms appropriés au passage du discours rapporté direct au discours rapporté indirect.

c) Dans les deux colonnes du tableau suivant, surlignez les lettres finales des verbes qui changent au passage du discours direct au discours indirect.

d) Soulignez les verbes de parole ou les GPrép qui annoncent les paroles rapportées indirectement dans la colonne de droite.

DISCOURS RAPPORTÉ DIRECT	DISCOURS RAPPORTÉ INDIRECT
«Lorsque j'étais au primaire, je passais mes récréations à discuter avec mes copines, et nous dédaignions les élèves qui nous proposaient de participer à leurs activités sportives. Maintenant, je le regrette, car je sais que ma forme physique pourrait être meilleure.»	**1** Huguette avoue que, lorsqu'_____ était au primaire, _____ passait _____ récréations à discuter avec _____ copines, et qu'_____ dédaignaient les élèves qui _____ proposaient de participer à _____ activités sportives. Maintenant, _____ le regrette, car _____ sait que _____ forme physique pourrait être meilleure.

SUITE ▷

DISCOURS RAPPORTÉ DIRECT	DISCOURS RAPPORTÉ INDIRECT
«Cher ami, pour faire suite à votre demande, je vous conseille de vous trouver deux camarades qui courent un peu plus vite que vous et qui ont une meilleure forme que la vôtre. Ensemble, vous établirez un parcours d'un kilomètre, que vous compléterez d'abord en courant une minute et en marchant une minute, et ainsi de suite. Chaque jour, vous augmenterez le temps de la course de dix secondes et en réduirez de même le temps de marche.»	2 J'ai consulté _____ ami Jules et, selon_____, _____ devrais _____ trouver deux camarades qui courent un peu plus vite que _____ et qui ont une meilleure forme que _____. Ensemble, _____ établirions un parcours d'un kilomètre, que _____ compléterions d'abord en courant une minute et en marchant une minute, et ainsi de suite. Chaque jour, _____ augmenterions le temps de la course de dix secondes et en réduirions de même le temps de marche.

6 Dans chaque subordonnée complétive interrogative entre crochets dans les phrases 5
ci-après, supprimez les marques du type interrogatif caractéristiques du discours
rapporté direct. Apportez les autres corrections nécessaires.

> AU BESOIN, suivez les étapes suivantes pour corriger la
> construction des phrases avec complétive interrogative.
>
> ☐ Si vous pouvez répondre par *oui* ou par *non* à l'interrogation
>   sous-entendue dans la complétive, assurez-vous que son
>   subordonnant est *si* (ou *s'* devant *il* ou *ils*).
>
> ☐ Assurez-vous que, dans la complétive :
>   - le pronom sujet et le verbe ne sont pas inversés ;
>   - le GNs n'est pas repris par un pronom après le verbe ;
>   - il n'y a pas *est-ce que* ou *est-ce qui*.
>
> ☐ Assurez-vous que le point d'interrogation n'est employé que
>   lorsque la phrase matrice est de type interrogatif.

Attention, erreurs !

1 Piotr veut savoir [est-ce qu'il y a des cours de gymnastique qui sont offerts dans

sa nouvelle école] ?

2 Il se demande [si son enseignante d'éducation physique pourra-t-elle lui enseigner

à faire des flips].

• • •

e
....

3 L'enseignante a demandé aux élèves [combien de sports est-ce qu'ils pratiquaient] ?

4 Elle veut savoir [quand seront-ils prêts à fournir les efforts de concentration

nécessaires pour faire des sauts au cheval d'arçons].

5 Elle leur explique [qu'est-ce qu'il peut se passer s'ils ne se concentrent pas

suffisamment].

---

7 **a)** Dans les paragraphes suivants, surlignez les discours rapportés directs et indirects, **1à5**
puis, dans les parenthèses, indiquez qui en sont les émetteurs.

b) Remplacez les discours rapportés directs par des discours rapportés indirects et
vice versa.

1 Dans le rapport de la Commission de l'aménagement du territoire (CAT) fait en
octobre 2001 sur la violence au hockey mineur, on peut lire : « Nous, membres de
la Commission de l'aménagement du territoire, sommes conscients de la tâche
qui nous incombe dans le dossier de la violence au hockey mineur. […]. Pour donner
suite aux travaux de la Commission, nous avons élaboré des recommandations
qui touchent différents intervenants du milieu. »

(Émetteurs : _____)

_____

_____

_____

_____

_____

_____

_____

_____

_____

_____

2 Lors des consultations faites par la CAT, certains parents ont avoué qu'ils hésitaient à inscrire leurs enfants au hockey organisé ou qu'ils les retiraient tout simplement de cette structure.

(Émetteurs : _____)

_____

_____

_____

_____

_____

3 Selon l'éditorialiste Maurice Cloutier, la CAT aurait dû proposer des solutions au problème de la consommation d'alcool dans les arénas. Dans un article paru le 24 novembre 2001 dans *La Tribune*, cet éditorialiste soutient que « la consommation d'alcool a une incidence sur le caractère des gens ». Il se demande : « La vente et la consommation de boissons alcoolisées pendant les activités liées au hockey mineur devraient-elles être interdites dans les arénas ? »

(Émetteurs : _____)

_____

_____

_____

_____

_____

_____

_____

_____

_____

⊞ Qualification pour l'épreuve finale

1 Complétez la révision du texte à l'aide des pistes de révision ci-dessous. Cochez une case si la piste de révision vous a permis de corriger une erreur. Les autres cases vous serviront au numéro **2**.

⟳ PISTES DE RÉVISION

Ponctuation

☐ ☐ Mettre entre guillemets les paroles rapportées en discours direct et surligner les paroles rapportées en discours indirect.

☐ ☐ Mettre un point d'interrogation au-dessus du discours rapporté s'il s'agit d'une interrogation et vérifier la ponctuation finale de ce discours et de la phrase dans laquelle il est inséré, s'il y a lieu.

☐ ☐ Souligner d'un trait ondulé la phrase incise et s'assurer qu'elle est détachée à l'aide d'une virgule ou de deux virgules, selon sa place.

☐ ☐ Si les paroles rapportées sont dans une subordonnée complétive, encadrer le subordonnant (*que, si, quand,* etc.) et s'assurer qu'il n'est pas précédé du deux-points.

Grammaire de la phrase

☐ ☐ Souligner les pronoms et les déterminants de la 1re et de la 2e personne et vérifier leur emploi.

☐ ☐ Vérifier la construction des phrases interrogatives et des phrases avec subordonnées complétives interrogatives (supprimer les marques de l'interrogation directe comme *est-ce que/qui* dans les complétives interrogatives).

Attention, ℮rreurs !

Esprit d'équipe ou esprit de bottine ?

Depuis plusieurs années , la violence dans les sports amateurs fait les manchettes .

Contrairement à ce qu'on pourrait penser , « ce ne sont pas toujours les joueurs qui

en sont les instigateurs , mais les spectateurs », rapporte un entraîneur de la ligue

mineure de hockey québécois .

En effet , les journaux ont souligné plusieurs cas de violence entre spectateurs ,

notamment chez les parents des enfants au jeu . Plusieurs se demandent : Qui est-ce

qui devrait montrer l'exemple aux enfants , si les parents ne le font pas ? À ce problème ,

• • •

certains disent que : l'on devrait faire signer un contrat de bonne conduite aux parents

dès le début d'une saison sportive. D'autres, comme la Commission de l'aménagement du

territoire (CAT), recommandent que : «la formule Franc-jeu soit appliquée dans tout le

hockey mineur québécois. Cette formule consiste à donner deux points supplémentaires à

l'équipe qui a démontré le plus d'esprit sportif dans une partie. Depuis que notre équipe

fait partie du programme Franc-jeu, il y a vraiment moins de punitions et on s'amuse

beaucoup plus, affirme spontanément le jeune hockeyeur Xavier Duval. Il se demande

pourquoi est-ce que tous les sports d'équipe n'appliquent pas ce règlement?

L'association Hockey Québec a-t-elle entendu les souhaits de Xavier ? Elle a annoncé

récemment que le programme Franc-Jeu deviendrait obligatoire dans tout le Québec à

compter de la saison 2003-2004. Espérons que d'autres associations sportives suivront

l'exemple.

Maude Voghell, Aspirante journaliste sportive

2 **a)** Choisissez un des parcours suivants et, sur une feuille mobile, écrivez votre texte que vous réviserez à l'aide des pistes de révision données au numéro 1. Cochez une case chaque fois qu'une nouvelle piste de révision vous permet de corriger une erreur.

Parcours narratif

Écrivez une courte péripétie dans laquelle votre personnage principal rencontre une ou un maître spirituel qui le guidera et lui enseignera quelques mouvements de gymnastique acrobatique pour assurer son autodéfense. Insérez une courte séquence de paroles en discours direct dans votre texte, avec et sans incise. Insérez aussi au moins une pensée et une question rapportées indirectement.

Parcours explicatif

Écrivez un court texte dans lequel vous expliquez pourquoi certaines personnes pourraient avoir avantage à fréquenter une école où l'on offre un programme sport-études alors que d'autres non. Imaginez des élèves et des enseignants qui ont déjà vécu cette expérience et rapportez ce qu'ils pourraient avoir à dire sur le sujet de votre texte. Employez le discours direct à deux reprises au moins, avec et sans incise. Insérez aussi des discours indirects à deux reprises.

b) Dans la grille de révision qui suit, insérez les pistes de révision qui vous ont été les plus utiles. Vous pouvez les personnaliser et en ajouter. Dans la colonne de droite, inscrivez les pages de vos ouvrages de référence et quelques trucs.

VERS UNE GRILLE DE RÉVISION

QUELQUES PISTES DE RÉVISION | **MES OUTILS ET MES TRUCS**

PONCTUATION

GRAMMAIRE DE LA PHRASE

La conjugaison

Synthèse des connaissances

Le temps, le mode, la personne et le nombre du verbe

La conjugaison d'un verbe, c'est les différentes formes que prend un verbe selon :

- le **temps** (**temps simple** comme le présent et le futur, ou **temps composé** comme le passé composé et le futur antérieur);

- le **mode** (l'indicatif, le subjonctif, l'impératif, le participe);

- la **personne** et le **nombre** (1S, 2S, 3S, 1P, 2P et 3P).

Voici les **principaux temps simples et temps composés** ainsi que les **principaux modes** illustrés à quelques personnes.

TEMPS SIMPLES	TEMPS COMPOSÉS
Mode indicatif	
présent *je joue, tu joues, vous jouez ;* *je sors, il sort, nous sortons*	**passé composé** (<u>auxiliaire</u> au présent) *j'<u>ai</u> joué, ils <u>ont</u> joué ;* *je <u>suis</u> sorti, ils <u>sont</u> sortis*
passé simple *il joua, elles jouèrent ;* *il sortit, elles sortirent*	**passé antérieur** (<u>auxiliaire</u> au passé simple) *il <u>eut</u> joué, elles <u>eurent</u> joué ;* *il <u>fut</u> sorti, elles <u>furent</u> sorties*
imparfait *tu jouais, vous jouiez ;* *il sortait, nous sortions*	**plus-que-parfait** (<u>auxiliaire</u> à l'imparfait) *j'<u>avais</u> joué, nous <u>avions</u> joué ;* *j'<u>étais</u> sorti, nous <u>étions</u> sortis*
futur simple *tu joueras, vous jouerez ;* *il sortira, nous sortirons*	**futur antérieur** (<u>auxiliaire</u> au futur simple) *j'<u>aurai</u> joué, vous <u>aurez</u> joué ;* *je <u>serai</u> sorti, vous <u>serez</u> sortis*
conditionnel présent *tu jouerais, vous joueriez ;* *il sortirait, nous sortirions*	**conditionnel passé** (<u>auxiliaire</u> au conditionnel présent) *j'<u>aurais</u> joué, elles <u>auraient</u> joué ;* *je <u>serais</u> sorti, elles <u>seraient</u> sorties*

SUITE ▷

▶ *SUITE*

TEMPS SIMPLES	TEMPS COMPOSÉS
Mode subjonctif	
présent *que tu joues ; que tu sortes*	**passé** (auxiliaire au subjonctif présent) *que tu <u>aies</u> joué ; que tu <u>sois</u> sorti*
Mode impératif	
présent *joue, jouons, jouez ;* *sors, sortons, sortez*	**passé** (auxiliaire à l'impératif présent) *<u>aie</u> joué, <u>ayons</u> joué, <u>ayez</u> joué ;* *<u>sois</u> sorti, <u>soyons</u> sortis, <u>soyez</u> sortis*
Mode participe (mode qui ne se conjugue pas en personne)	
présent *jouant ; sortant* **passé** *joué ; sorti*	**passé** (2e forme) (auxiliaire au participe présent) *<u>ayant</u> joué ; <u>étant</u> sorti*

▶ **REMARQUE** À l'oral surtout, le futur simple est généralement remplacé par le **verbe *aller*** au présent **suivi de l'infinitif** d'un verbe ; on parle alors de **futur proche**.

Ex. : *vous jouerez / vous allez jouer ; vous sortirez / vous allez sortir*

La formation des temps simples et des temps composés

Voici comment les verbes forment généralement leurs temps simples et leurs temps composés.

TEMPS SIMPLE	TEMPS COMPOSÉ
Un seul mot comprenant deux parties : • un <u>radical</u> • une terminaison Ex. : *tu joues ; je finis, je finissais ; je sors, je sortais*	Deux mots : • un <u>auxiliaire</u> : *avoir* ou *être* • un <u>participe passé</u> Ex : *tu <u>as</u> joué ; j'<u>ai</u> fini ; je <u>suis</u> sorti ; tu <u>as</u> dit*

▶ **REMARQUE** Certains verbes peuvent aussi comprendre un **pronom** (les verbes pronominaux) ou un **nom**.

Ex. : *il s'assoit*   Ex. : *je me suis assis*
il a peur   *j'ai eu peur*

Le radical des verbes : quelques généralités

• Les **verbes en -*er*** constituent la majorité des verbes du français. Ils n'ont généralement qu'**un radical** : celui de l'infinitif du verbe.

Ex. : *crier : je crie, nous crierons, je criais, nous criions, qu'ils crient, criant*

Cependant, certains **verbes en -*er*** ont **deux radicaux**. Il s'agit essentiellement des verbes en -*e* + CONSONNE + *er* (-*eler*, -*eter*, -*ener*, etc.), des verbes en -*é* + CONSONNE + *er* et des verbes en -*yer*, lesquels changent tous de radical devant un *e* muet.

Ex. : *acheter : j'achète ; jeter : ils jettent ; semer : il sème ;*
répéter : elle répète ; envoyer : tu envoies

- Les **verbes en -*ir*, en -*re* et en -*oir*** ont généralement plusieurs radicaux :

  • certains verbes ont **deux radicaux** (dont tous les verbes qui ont comme modèle *finir* et qui font -*iss* à plusieurs temps, modes et personnes) ;

    Ex. : *finir : je finis, je finirai, tu finissais, nous finissions, finissant ;*
    se distraire : je me distrais, tu te distrairas, il se distrayait, nous nous distrayions

  • certains verbes ont **plus de deux radicaux** (dont les verbes les plus fréquents : *être, avoir, aller, faire, devoir, pouvoir, dire, servir, partir, prendre, mettre,* etc.).

    Ex. : *partir : je pars, je partirai, que nous partions* (3 radicaux)
    prendre : je prends, vous prenez, elles prennent, elles prirent (4 radicaux)
    émouvoir : il émeut, elles émeuvent, nous émouvons, ils émurent (4 radicaux)
    recevoir : je reçois, ils reçoivent, vous recevez, elles reçurent (4 radicaux)

    REMARQUE Les verbes en -*cevoir* prennent une cédille sous le *c* devant *o* et *u*.

Les verbes à plus de deux radicaux : quelques particularités orthographiques

- Parmi les verbes dont on ne prononce pas la consonne finale du radical aux personnes du singulier au présent de l'indicatif et de l'impératif (ex. : pour *partir*, on dit : je « par » ; pour *rendre : je « ran »*) :

  • certains **s'écrivent sans la consonne finale du radical** : les verbes en -*ir* et en -*re* comme *dormir, mentir, partir, sortir, servir, suivre, vivre, connaître* ainsi que les verbes en -*indre* et en -*soudre* (ex. : *peindre, résoudre*) ;

    Ex. : *je dors, tu mens, tu pars, il sort, il sert, elle suit, je connais, je peins, tu résous*

  • d'autres **s'écrivent avec la consonne finale du radical** : les verbes en -*dre*, en -*cre* et en -*pre*, comme *prendre, répandre, coudre, vaincre, rompre*.

    Ex. : *je prends, il répand, je couds, tu vaincs, il rompt*

    REMARQUE Dans les verbes en -*ttre*, un seul des *t* est écrit aux personnes du singulier au présent de l'indicatif et de l'impératif (ex. : *mettre : je mets, tu mets, il met,* mais *ils mettent* ; *battre : je bats, tu bats, il bat,* mais *ils battent*).

- Les verbes en -*aître* et en -*oître* peuvent s'écrire avec un accent circonflexe sur le *i* seulement quand le *i* du radical est immédiatement suivi du *t. Plaire* peut suivre cette règle.

    Ex. : *je connais, il connaît, il connaissait ; tu plais, il plaît, il plaisait*

    ATTENTION ! Depuis 1990, le Conseil de la langue française du Québec approuve l'orthographe des verbes en -*aitre* et en -*oitre* ainsi que celle de *plait* sans l'accent circonflexe.

> ▶▶ **REMARQUE** Le verbe *croître* conserve l'accent circonflexe sur le *i* chaque fois qu'il pourrait être confondu avec *croire* (ex. : *Je croîs très vite. Je te crois.*) ◀

- Les verbes qui se conjuguent sur le modèle des verbes *courir, mourir, acquérir, voir* et *envoyer* ont deux *r* qui se suivent au futur et au conditionnel : le premier *r* est celui du radical et le second, celui de la terminaison.

    Ex. : *je courrai, tu verras, il enverra*

Le choix de l'auxiliaire dans les temps composés

La plupart des verbes forment leurs temps composés à l'aide de l'**auxiliaire *avoir***.

Ex. : *elle a mangé ; elle a couru ; elle avait bu ; elle aurait réfléchi ; elle aura appris*

Certains verbes forment obligatoirement leurs temps composés à l'aide de l'**auxiliaire *être*** :

- les **verbes pronominaux** (verbes comprenant le pronom *se* à l'infinitif : *se rappeler, se faire mal, se souvenir,* etc.) ;

    Ex. : *il s'est rappelé ; je me suis fait mal ; ils se sont souvenus*

- certains **verbes sans complément direct** exprimant :
  - un **mouvement**, un **déplacement**, comme *aller, descendre, partir, passer, sortir, tomber,* etc.

      Ex. : *nous sommes tombés*
  - un **changement d'état**, comme *naître, mourir, apparaître.*

      Ex. : *nous sommes apparus*

Quelques **e**rreurs fréquentes

Voici des erreurs fréquentes liées à la conjugaison des verbes. Après les séances d'exercices qui suivent, vous serez en mesure d'éviter de telles erreurs ou de les corriger dans vos textes. Consultez ce tableau en tout temps et particulièrement dans la séance d'entraînement quand vous verrez le pictogramme ⓪ correspondant à chaque cas d'erreur.

Tout en lisant la description et la correction des erreurs, surlignez ce qui pourrait vous être utile lorsque vous réviserez vos textes.

EXEMPLES D'ERREURS	DESCRIPTION ET CORRECTION DES ERREURS
Avez-vous déjà remarqué que la denture des mammifères diffèrait (é, modèle : céder) beaucoup d'une espèce à une autre ? On appelle (l, modèle : appeler) « denture » l'ensemble des dents. Les oiseaux broyent (i, modèle : employer) les graines avec leur bec.	Mauvais choix du radical d'un verbe en *-er* à deux ❶ radicaux (verbes en *-eler, -eter, -yer,* etc.). ➲ **Correction** : À l'aide d'un ouvrage de référence, identifier le verbe modèle de la conjugaison. Choisir le radical de l'infinitif, ou choisir le second radical si la terminaison commence par un *e* muet.

SUITE ▷

▶SUITE

EXEMPLES D'ERREURS	DESCRIPTION ET CORRECTION DES ERREURS
s (connaître) Je connaîts plusieurs espèces d'oiseaux. i (connaître) Je connaîs plusieurs espèces d'oiseaux. d (prendre) L'oiseau de proie prent les petits animaux avec ses serres.	Non-respect d'une particularité orthographique d'un verbe en -*ir*, en -*re* ou en -*oir* à plusieurs radicaux. ❷ ➲ **Correction** : À l'aide d'un ouvrage de référence, identifier le verbe modèle de la conjugaison et orthographier le verbe selon sa particularité orthographique.
mour (futur) Des animaux meurront à la suite d'un changement climatique ; d'autres s'adapteront. émeuv (présent, 3P) Les bébés koalas m'émouvent. bouill /e (subj.) Je dois attendre que l'eau bout ; à quelle bou /t (indic.) température bouille-t-elle ?	Mauvais choix du radical d'un verbe en -*ir*, en -*re* ou en -*oir* à plusieurs radicaux. ❸ ➲ **Correction** : À l'aide d'un ouvrage de référence, choisir le radical approprié selon le mode, le temps et la personne du verbe. Il peut s'agir ou non du radical de l'infinitif.
(arriv /er) çut (apercev /oir) Il arriva près du lac, aperceva le canard et it (prend /re) le prena en photo. e (reli /er) La « palmure » relit les doigts des pattes palmées.	Choix d'une terminaison du verbe comme s'il s'agissait d'un verbe ayant une autre terminaison à l'infinitif. ❹ ➲ **Correction** : À l'aide de la terminaison de l'infinitif (-*er*, -*ir*, -*re* ou -*oir*), corriger la terminaison du verbe dans la phrase.
3P t Elles nous enseignerons l'ornithologie. 1P s Nous leur enseigneront l'ornithologie. 3P ent Elles lui parlait souvent de son pinson.	Orthographe incorrecte d'une terminaison homophone du verbe selon sa personne ou son nombre. ❺ ➲ **Correction** : Identifier la personne et le nombre du noyau du GNs et corriger la terminaison du verbe.
(impératif) er (ouvrir : infinitif) Regardes le héron déployé ses ailes. é (ouvert : part. passé) Il a déployer ses ailes.	Orthographe incorrecte d'une terminaison homophone du verbe selon son mode. ❻ ➲ **Correction** : Identifier le mode auquel le verbe devrait être en procédant, au besoin, par remplacement, puis choisir la terminaison appropriée.
me suis e suis Je m'ai blessé lorsque j'ai tombé de l'arbre. étais Heureusement, je m'avais équipé d'une trousse de secours.	Emploi à tort de l'auxiliaire *avoir* pour former les temps composés d'un verbe pronominal, ou d'un verbe sans complément direct exprimant un mouvement ou un changement d'état, comme *partir, tomber, mourir*. ❼ ➲ **Correction** : Employer l'auxiliaire *être*.

Séance d'échauffement

■ MON OUVRAGE
DE RÉFÉRENCE

TITRE : _____
_____

MOTS CLÉS : *verbe, conjugaison, radical, terminaison.*

PAGES : _____

1 **a)** Indiquez à quel temps simple et à quel mode sont conjugués les verbes de chaque ligne.

	continuer	dormir	prendre	pouvoir	Temps et mode
1	je continue	je dors	je prends	je peux	_____
2	ils continuent	ils dorment	ils prennent	ils peuvent	_____
3	nous continuions	nous dormions	nous prenions	nous pouvions	_____
4	nous continuerons	nous dormirons	nous prendrons	nous pourrons	_____
5	que je continue	que je dorme	que je prenne	que je puisse	_____

b) Complétez les énoncés suivants et servez-vous des verbes en **a)** pour les exemples.

- Le radical du verbe est la partie placée _____ du verbe à un temps simple. Il exprime le sens du verbe.

- La terminaison du verbe est la partie placée _____ du verbe. La terminaison marque la personne et le nombre du verbe (ex. : *je continu_____*, *ils continu_____*), son temps (ex. : *nous continu_____*, *nous continu_____*), et son mode (ex. : *je dor_____*, *que je dorm_____*).

c) Dans toutes les colonnes en **a)**, soulignez chaque radical du verbe conjugué qui est identique à celui de l'infinitif.

d) Illustrez les énoncés suivants en donnant des exemples à partir des verbes en **a)**.

- La majorité des verbes en -*er* ont un seul radical pour toutes leurs conjugaisons ; ce radical est le même que celui de l'infinitif (ex. : _____
_____).

- La majorité des verbes en -*ir*, en -*re* et en -*oir* ont plusieurs radicaux :
  - dans certaines conjugaisons, le radical est le même que celui de l'infinitif
    (ex. : _____
    _____) ;
  - dans d'autres conjugaisons, le radical est différent de celui de l'infinitif
    (ex. : _____
    _____).

2 **a)** Au-dessus des trois verbes soulignés, inscrivez leur infinitif.

　Les alpinistes <u>sont montés</u> au sommet de la montagne ;

　ils <u>se sont assis</u> et <u>ont observé</u> le paysage.

b) Complétez les énoncés suivants à l'aide de la phrase en **a)**.

- Dans un verbe à un temps composé, _____ est formé à partir de l'infinitif du verbe (ex. : *monter* : _____ ; *s'asseoir* : _____).

- La majorité des verbes forment leurs temps composés à l'aide de l'auxiliaire *avoir*
  (ex. : _____) ; certains verbes les forment obligatoirement à l'aide de
  l'auxiliaire _____ :
  - les verbes sans <u>complément direct</u> exprimant un mouvement, un déplacement ou un changement d'état (ex. : _____) ;
  - les verbes pronominaux (ex. : _____).

≡ MON OUVRAGE
DE RÉFÉRENCE

TITRE : _____
_____

MOTS CLÉS : *temps composés, auxiliaire de conjugaison, participe passé, verbe pronominal.*

PAGES : _____

⊞ Séance d'entraînement

1 **a)** Soulignez le radical des verbes dans la colonne de gauche et surlignez leur terminaison.

1à4

Ex. : *appeler* : *j'appelle, il appelait*

1 appeler : *j'appelle, il appelait*	**7** lever	_____ _____
2 crier : *je crie, que je crie*	**8** nettoyer	_____ _____
3 lire : *je lis, que je lise*	**9** relier	_____ _____
4 promener : *je me promenais, tu te promènes*	**10** relire	_____ _____
5 répéter : *répète, répétez*	**11** rappeler	_____ _____
6 s'ennuyer : *nous nous ennuyons, elles s'ennuient*	**12** céder	_____ _____

b) À l'aide d'une flèche, reliez chacun des verbes numérotés de **1** à **6** au verbe de **7** à **12** ayant le même modèle de conjugaison.

AU BESOIN, consultez un dictionnaire ou un ouvrage de référence en conjugaison.

c) Conjuguez chacun des verbes **7** à **12** à la même personne, au même temps et au même mode que celui auquel vous l'avez relié.

2 **a)** Dans les différentes conjugaisons du verbe *dormir* figurant dans le tableau ci-dessous, soulignez le radical qui est le même que celui de l'infinitif. **2et3**

b) Dans le radical de l'infinitif du verbe *dormir*, surlignez la consonne qui disparaît dans certaines conjugaisons du verbe.

c) Les verbes **1** à **10** se conjuguent comme le verbe *dormir* au présent.

- Soulignez le radical de l'infinitif de ces verbes et surlignez la consonne qui disparaîtra dans certaines conjugaisons.

- Conjuguez ces verbes en suivant le modèle de conjugaison de «dormir».

	je (1S)	*tu* (2S)	*il, elle, on* (3S)	*ils, elles* (3P)	*nous* (1P)	*vous* (2P)
Indicatif présent						
dormir	dors	dors	dort	dorment	dormons	dormez
1 servir						
2 mentir						
3 partir						
4 sortir						
5 suivre						
6 vivre						
Impératif présent						
dormir		dors			dormons	dormez
7 sentir						
8 survivre						
Subjonctif présent (*que* je…, *que* tu…, etc.)						
dormir	dorme	dormes	dorme	dorment	dormions	dormiez
9 desservir						
10 poursuivre						

3 **a)** Les verbes en -*indre* et en -*soudre* ont la même particularité que le verbe *dormir* **2et3** au présent de l'indicatif et de l'impératif, aux personnes du singulier.

- Soulignez le radical de l'infinitif des verbes en -*indre* et en -*soudre* **1** à **5** et surlignez la consonne qui disparaîtra dans certaines conjugaisons.

- Conjuguez ces verbes aux personnes du singulier.

	je (1S)	*tu* (2S)	*il, elle, on* (3S)	*ils, elles* (3P)	*nous* (1P)	*vous* (2P)
Indicatif présent						
1 peindre						
2 résoudre						
3 dissoudre						
4 plaindre						
Impératif présent						
5 craindre						

b) Les verbes en -*indre* et en -*soudre* ont un radical différent aux personnes du pluriel au présent de l'indicatif et de l'impératif. Trouvez ce radical et complétez le tableau.

> **AU BESOIN,** consultez un dictionnaire ou un ouvrage de référence en conjugaison.

c) Avec le radical trouvé en **b)** pour former le pluriel des verbes en -*indre* et en -*soudre* ci-dessus, conjuguez les verbes suivants à deux autres temps et modes à toutes les personnes.

1 peindre : _____

_____

_____

_____

2 résoudre : _____

_____

_____

_____

d) Avec le radical formant l'infinitif des verbes en -*indre* et en -*soudre*, conjuguez les verbes suivants à deux temps à la première personne du singulier et du pluriel.

1 peindre : _____

_____

2 résoudre : _____

_____

4 **a)** Conjuguez les verbes **1** à **6** aux personnes du singulier sur le modèle du verbe *perdre*. ③

Ex. : *perdre : je perds, tu perds, il perd* (présent) *perds* (impératif présent)

1 prendre : _____ _____

_____

2 entendre : _____ _____

_____

3 répondre : _____ _____

_____

4 rendre : _____ _____

_____

5 coudre : _____ _____

_____

6 convaincre : _____ _____

_____

b) Conjuguez le verbe *rompre* à la 3e personne du singulier au présent de l'indicatif et indiquez ce qui le distingue des autres verbes en **a)**.

AU BESOIN, consultez un dictionnaire ou un ouvrage de référence en conjugaison.

_____

_____

_____

c) Par rapport aux verbes en -*indre* et en -*soudre*, qu'est-ce que les verbes en -*dre*, en -*cre* et en -*pre* ont de différent aux personnes du singulier au présent de l'indicatif et de l'impératif?

_____

_____

d) Classez les verbes en **a)** (*prendre, entendre, répondre, rendre, coudre* et *convaincre*) selon qu'ils changent ou non de radical aux personnes du pluriel au présent de l'indicatif et conjuguez-les à ces trois personnes.

> **AU BESOIN,** consultez un dictionnaire ou un ouvrage de référence en conjugaison.

VERBES À UN RADICAL AUX PERSONNES DU SINGULIER ET DU PLURIEL	VERBES CHANGEANT DE RADICAL AUX PERSONNES DU PLURIEL

5 **a)** Rayez le verbe mal conjugué à chaque numéro et corrigez-le au-dessus. ③

> **AU BESOIN,** consultez un dictionnaire ou un ouvrage de référence en conjugaison.

Attention, erreurs !

1. il mourra – ils mouriront
2. tu mourirais – vous mourriez
3. j'acquérirai – nous acquerrons
4. tu courras – nous courirons
5. il enverrait – elles envoieraient
6. je voirai – vous verrez

b) Soulignez le radical des verbes correctement conjugués.

c) Les quatre verbes ci-dessous ne forment pas le subjonctif présent avec le même radical qu'au futur ou qu'au conditionnel. Conjuguez ces verbes au subjonctif à la première personne du singulier et du pluriel.

> **AU BESOIN**, consultez un dictionnaire ou un ouvrage de référence en conjugaison.

1 mourir : _____

2 acquérir : _____

3 envoyer : _____

4 voir : _____

6 **a)** Les verbes en -*cevoir* et en -*mouvoir* comme *recevoir* et *promouvoir* forment-ils leurs temps simples comme le verbe *voir* ? _____ **3**

b) Conjuguez les verbes *recevoir* et *promouvoir* aux mêmes personnes, temps et modes que le verbe *voir* ci-dessous.

> **AU BESOIN**, consultez un dictionnaire ou un ouvrage de référence en conjugaison.

voir	recevoir	promouvoir
tu vois		
ils voient		
nous voyons		
que tu voies		

c) Surlignez les modifications dans les radicaux des trois verbes ci-dessus par rapport au radical de leur infinitif.

7 **a)** Conjuguez les verbes *bouillir* et *asseoir* aux personnes, au mode et au temps indiqués. Si le mode n'est pas indiqué, c'est qu'il s'agit de l'indicatif.

3

> **AU BESOIN,** consultez un dictionnaire ou un ouvrage de référence en conjugaison.

1 *asseoir* (2S et 2P, impératif présent) _____

2 *s'asseoir* (3S, imparfait) _____

3 *bouillir* (2S, 3S, 3P, présent) _____

4 *bouillir* (2S, 3S, 3P, subjonctif présent) _____

_____

5 *bouillir* (3S, futur) _____

b) Qu'est-ce que la conjugaison du verbe *s'asseoir* a de particulier?

_____

_____

c) Surlignez les conjugaisons en **a)** qui, à l'oral, dans la langue familière, ne sont pas toujours comme celles de l'écrit.

8 Pour chaque verbe en gras ci-dessous:

4et5

- inscrivez au-dessus la terminaison de son infinitif: *-er, -ir, -re* ou *-oir*;
- choisissez la terminaison appropriée dans les parenthèses, et transcrivez-la.

1 Tu **oubli**____ (*-e, -es, -s*) souvent de tenir compte de l'ensoleillement de

ton jardin quand tu **choisi**____ (*-e, -es, -s*) tes fleurs ou tes graines.

2 Timothé **reçoi**____ (*-e, -t*) une revue de jardinage que sa grand-mère lui

envoi____ (*-e, -t*) après l'avoir lue.

3 J'**appréci**____ (*-e, -s*) jardiner avec ma grand-mère, car je **ri**____ (*-e, -s*)

beaucoup avec elle.

9 Expliquez la différence de sens entre les deux phrases suivantes.　　**4**

    1 Quand tu écris plusieurs pages, les **relis**-tu ?

    2 Quand tu écris plusieurs pages, les **relies**-tu ?

_____

_____

_____

_____

_____

10 **a)** Reliez à l'aide d'un trait chaque verbe ci-dessous à sa terminaison au passé simple　**4**
à la 3ᵉ personne du singulier.

    1 s'écrier　　　　　　　**1** _____

    2 mourir　　　-a　　　**2** _____

    3 conclure　　-t　　　**3** _____

    4 rendre　　　　　　　**4** _____

    5 venir　　　　　　　　**5** _____

  b) Conjuguez chaque verbe ci-dessus au passé simple à la 3ᵉ personne du singulier,
puis du pluriel.

        AU BESOIN, consultez un dictionnaire ou un ouvrage de référence
        en conjugaison.

11 Observez la terminaison des verbes en gras ci-dessous, puis inscrivez le <u>pronom</u> sujet　**5**
qui convient.

  Au printemps, **1** _____ **nous promènerons** dans les vergers pour voir les

pommiers en fleurs. **2** _____ **espérons** que, malgré les tempêtes de neige tardives

cette année, **3** _____ **fleuriront** à la mi-mai, comme c'est généralement le cas.

  4 _____ vous **rapporterai** du miel de fleurs de pommiers et du miel de fleurs

de bleuets et **5** _____ me **direz** lequel **6** _____ **préférez**.

  7 _____ **pourras** venir chez moi ce printemps et **8** _____ **ira** voir les

ruches dans les vergers.

  9 Si _____ les **voyais**, toutes ces abeilles au travail dans les ruches : **10** _____

ne **semblent** jamais s'arrêter.

12 **a)** Au-dessus de chaque mot en gras dans les phrases ci-après, indiquez s'il s'agit : ⑥

- d'un participe passé (p.p.) ;
- d'un infinitif (inf.) ;
- d'un verbe à l'impératif (impér.) ;
- d'un verbe au subjonctif (subj.) ;
- d'un verbe à un temps de l'indicatif (indic.).

> **AU BESOIN,** suivez ces étapes pour reconnaître certains modes du verbe.
>
> ☐ Remplacez le verbe en -*er*/-*é* par un verbe en -*ir*, en -*re* ou en -*oir* pour savoir s'il s'agit d'un participe passé ou d'un infinitif (ex. : *mordre*/ *mordu* ; *faire*/*fait*).
>
> ☐ Remplacez le verbe par le verbe *faire* pour savoir s'il s'agit d'un verbe à l'indicatif ou au subjonctif (*fait*/**fasse** ; *font*/**fassent** ; *faites*/**fassiez**).

b) Choisissez la terminaison appropriée dans les parenthèses, puis transcrivez-la.

1 Quand je **pourr**_____ (*é, ai*) **me déplac**_____ (*é, er*) sans mes béquilles,

j'aimerais que vous m'**emmeni**_____ (*é, ez, ai*) **visit**_____ (*é, er*) le musée

des sciences naturelles.

2 **Expliqu**_____ (*e, es*) pourquoi, chaque année, on peut **observ**_____ (*é, er*)

les feuilles **chang**_____ (*é, er*) de couleur à l'automne et **racont**_____ (*e, es*)

un moment inoubliable que tu as **pass**_____ (*é, er*) pendant cette saison.

3 **Préfèr**_____-tu (*e, es*) l'automne quand le paysage s'est **color**_____ (*é, er*)

ou le printemps quand la nature est en fleurs ?

4 En été, les pigments de couleur jaune et rouge sont présents dans les feuilles

en moins grande quantité de sorte qu'on ne les **voi**_____ (*e, t*) pas.

5 Il s'est **cach**_____ (*é, er*) sous une montagne de feuilles pour qu'on ne le

voi_____ (*e, t*) pas.

6 Quand l'automne est presque **fin**_____ (*i, it*), on **chois**_____ (*i, it*) les plus

belles feuilles qu'on a **ramass**_____ (*ées, er*) et on les ajoute à notre herbier.

13 À chaque numéro, soulignez celui des deux mots qui est un verbe, puis faites deux phrases contenant chaque mot.

1 appel, appelle

_____

_____

2 emploies, emplois

_____

_____

3 éclaircit, éclaircie

_____

_____

4 vie, vit

_____

_____

5 crie, cri

_____

_____

14 Conjuguez les verbes suivants au passé composé et au plus-que-parfait, aux personnes indiquées. ⑦

Portez une attention particulière au choix de l'auxiliaire.

	PASSÉ COMPOSÉ	PLUS-QUE-PARFAIT
1 *bouger* (3P)		
2 *partir* (3P)		
3 *se tromper* (1S)		
4 *plaire* (3P)		
5 *se plaire* (3P)		

15 Dans les phrases ci-après, choisissez l'auxiliaire qui convient pour compléter les temps composés des verbes en gras ; rayez ensuite la forme du pronom qui ne convient pas dans les phrases 1 et 2.

7

> **AU BESOIN**, suivez les étapes suivantes pour savoir quand vous devez employer l'auxiliaire *être*.
>
> ☐ Si le verbe est précédé des pronoms *me (m'), te (t'), se (s'), nous, vous*, vérifiez s'il est pronominal, c'est-à-dire :
>
> - ■ si son GNs est de la même personne que le pronom (ex. : *je me…, tu te…*, etc.) ;
> - ■ si son infinitif est précédé de *se* (ex. : *se rappeler*).
>
> S'il s'agit d'un verbe pronominal, soulignez-le de deux traits et employez l'auxiliaire *être*.
>
> ☐ Si le verbe exprime un mouvement, comme *monter, tomber, partir, revenir*, ou un changement d'état, vérifiez s'il a un complément direct. Si le verbe n'en a pas, employez l'auxiliaire *être*.

1 Elles se / s' (*ont, sont*) _____ **informées** des propriétés curatives de certaines plantes.

2 On m'(*a, est*) _____ **appliqué** de l'aloès sur une égratignure que je me / m' (*ai, suis*) _____ **faite** lorsque je / j' (ai, suis) _____ **tombé** de bicyclette.

3 Lorsque les hommes de Jacques Cartier (*ont, sont*) _____ **arrivés** en Amérique du Nord, les Amérindiens les (*ont, sont*) _____ **guéris** du scorbut en leur administrant une tisane d'écorce.

16 Dans le texte ci-après, conjuguez les verbes au temps de l'indicatif indiqué ou choisissez l'une des deux formes proposées entre parenthèses. Attention, l'autre forme peut être fautive.

1à7

> **AU BESOIN**, suivez les étapes suivantes pour vérifier la conjugaison des verbes.
>
> ☐ Au-dessus du verbe à un temps simple, inscrivez son infinitif ou celui de son verbe modèle (consultez un ouvrage de référence).
>
> ☐ S'il s'agit d'un verbe à plusieurs radicaux, surlignez les lettres du radical de l'infinitif qui peuvent changer et identifiez les particularités du verbe s'il y a lieu.
>
> ☐ Choisissez le radical et la terminaison du verbe selon sa personne, son nombre, son temps et son mode.
>
> ☐ Surlignez les finales en « i », « on », « è », « é », « a » et vérifiez leur orthographe.
>
> ☐ Assurez-vous que l'auxiliaire *être* est employé pour former les temps composés des verbes pronominaux et des verbes sans complément direct comme *entrer, sortir, rester, tomber, naître*, etc.

Lorsqu'un facteur extérieur, comme une glaciation, un déboisement, un feu de forêt, **1** (*venir*, présent) _____ modifier la nature d'un milieu, les plantes qui y occupaient le territoire **2** (*aller*, présent) _____ s'y réinstaller, dans un ordre bien précis.

Il y a 14 000 ans, la vallée du Saint-Laurent, dans le sud du Québec, était envahie par des glaces qui **3** (*atteindre*, imparfait) _____ à certains endroits plus de 700 mètres d'épaisseur. Les érables à sucre qui occupaient cet espace avant la glaciation **4** (*disparaître*, passé composé) _____ .

Quand les glaciers **5** (*se sont mis, s'ont mis*) _____ à fondre, il y a environ 12 000 ans, la première plante qui **6** (*réussir*, passé composé) _____ à pousser sur la roche nue **7** (*être*, passé composé) _____ le lichen. Comme tu le **8** (*savoir*, présent) _____, le lichen **9** (*contribut, contribue*) _____ à **10** (*formé / former*) _____ le sol en libérant des acides qui **11** (*émietter*, présent) _____ lentement la roche.

Le lichen marque le début de la succession végétale. Au stade final de la succession, le milieu **12** (*parvenir*, présent) _____ à un état d'équilibre où les espèces végétales en place ne **13** (*pouvoir*, présent) _____ plus être **14** (*délogées / déloger*) _____. Ce dernier stade se nomme le *climax*. Une succession végétale complète peut prendre des siècles, et même parfois des millénaires là où le climat est très froid.

L'être humain peut entraver la succession végétale s'il **15** (*modifie, modifit*) _____ ou **16** (*détruie, détruit*) _____ un milieu. »

Jean-Pierre Fabien, *Éco-logique*,
© Les Éditions CEC, 2000, pages 91-93.

⊞ Qualification pour l'épreuve finale

1 Poursuivez la correction des notes ci-après à l'aide des pistes de révision ci-dessous. Cochez une case si la piste de révision vous a permis de corriger une erreur. Les autres cases vous serviront au numéro 2.

🔍 PISTES DE RÉVISION

☐ ☐ Souligner tous les verbes conjugués ainsi que les infinitifs et les participes.

☐ ☐ Au-dessus du verbe à un temps simple, inscrire son infinitif ou celui de son verbe modèle (consulter un ouvrage de référence).

☐ ☐ S'il s'agit d'un verbe à plusieurs radicaux, surligner les lettres du radical de l'infinitif qui peuvent changer et identifier les particularités du verbe.

☐ ☐ Choisir le radical et la terminaison du verbe selon sa personne, son nombre, son temps et son mode et selon le verbe modèle.

☐ ☐ Surligner les finales en « i », « on », « è », « é », « a », « u », « oi » et vérifier leur orthographe.

☐ ☐ S'assurer que l'auxiliaire *être* est employé pour former les temps composés des verbes pronominaux et des verbes sans complément direct comme *entrer, sortir, rester, tomber, naître,* etc.

☐ ☐ Souligner d'un double trait les mots dont la prononciation est la même que certains verbes et vérifier leur orthographe.

Attention, ⓔrreurs !

Jean-Sébastien,

Tu a reçu^s un appelle de notre oncle

José. Rappele-le ce soir sans faute

sinon il ne t'emmeneras pas au cinéma.

Si j'ai rentré quand ton film sera fini, *(être)*

je pourai aller te cherché. Tu n'as

qu'a m'appeller.

Salut.

Ton frère Yan.

Chère Corinne,

Je vouderais que tu prendes ton temps

pour lire la lettre que j'envoierai aux

journaux. Je la joinds à cette note.

Donnes-moi tes commentaires bientôt

et ne te gênes pas pour me dire si je

m'ai un peu trop emporté.

Merci.

Emmanuel

2 **a)** Choisissez un des parcours suivants et, sur une feuille mobile, écrivez votre texte que vous réviserez à l'aide des pistes de révision données au numéro **1**. Cochez une case chaque fois qu'une nouvelle piste de révision vous permet de corriger une erreur.

Parcours narratif

Poursuivez le début de conte suivant : *Il était une fois un homme qui s'était levé du mauvais pied…* Dans votre texte, insérez un dialogue entre deux personnages, dans lequel vous employez des verbes au présent et au futur.

Parcours explicatif

Écrivez un court texte dans lequel vous expliquez pourquoi certaines personnes s'inquiètent de l'avenir de la langue française au Québec et ailleurs dans la francophonie. Terminez votre texte en racontant une expérience personnelle liée à la langue que vous parlez.

b) Dans la grille de révision qui suit, insérez les pistes de révision qui vous ont été les plus utiles. Vous pouvez les personnaliser et en ajouter. Dans la colonne de droite, inscrivez les pages de vos ouvrages de référence et quelques trucs.

VERS UNE GRILLE DE RÉVISION

QUELQUES PISTES DE RÉVISION	MES OUTILS ET MES TRUCS
ORTHOGRAPHE	

L'accord du verbe

🔳 Synthèse des connaissances

> Tout en lisant, surlignez les éléments qui vous semblent
> essentiels pour bien comprendre comment accorder un verbe.

La règle d'accord du verbe

Le verbe conjugué est un **receveur d'accord** dans le GV.

Le verbe conjugué s'accorde avec le nom ou le pronom **noyau du GNs**. Il en reçoit la
personne (1, 2 ou 3) et le **nombre** (S ou P).

> Reliez la pointe de flèche et le donneur d'accord.

Ex. : *Comme le révèlent (plusieurs **études**), (les **Cris**) ont subi de mauvais traitements dans
des pensionnats à partir des années 1920.*

*(Un **règlement** des pensionnats) interdisait aux Cris de parler leur langue maternelle.*

> ▶ **REMARQUE** Quand le verbe est conjugué à un **temps composé** (ex. : *ont subi*), c'est l'**auxiliaire** *avoir* ou
> *être* qui s'accorde avec le noyau du GNs.

Ex. : *(Les **Cris**) ont subi de mauvais traitements dans des pensionnats.* ◀

Le donneur d'accord du verbe

C'est le GNs qui contient le donneur d'accord du verbe. Il est **généralement placé devant**
le verbe et, **parfois, après**. Pour **repérer** ou **délimiter un GNs**, on peut recourir à plusieurs
manipulations, dont :

- l'encadrement par *c'est… qui* ou *ce sont… qui* ;

   C'est   qui
   Ex. : *(Un règlement des pensionnats) interdisait aux Cris de parler leur langue maternelle.*

- le **remplacement** du GNs par un **pronom personnel sujet** (*il, elle, on, nous, vous, ils, elles*)
  ou par *cela* devant le verbe.

   ‖
   Ex. : *(Un règlement des pensionnats) interdisait aux Cris de parler leur langue maternelle.*

Pour **déterminer la personne et le nombre du donneur d'accord du verbe**, on peut recourir aussi au **remplacement par un pronom** ou encore à l'**effacement des expansions** du noyau du GNs.

Ex. : *(Un règlement* ~~*des pensionnats*~~ *) interdisait* aux Cris de parler leur langue maternelle.
<small>3S</small>

Voici quelques contextes où il est plus difficile d'identifier le donneur d'accord du verbe ou de déterminer son nombre et sa personne.

PERSONNE ET NOMBRE DE CERTAINS DONNEURS D'ACCORD DANS LE GNs			
	GNs	**Personne et nombre**	**Exemples**
Un seul donneur d'accord	pronom relatif *qui*	1S, 2S, 3S, 1P, 2P ou 3P, selon l'antécédent de *qui*	*C'est* <u>nous</u> (*qui*) <u>allons</u> à la baie James. 1P 1P *Les* <u>Cris</u>, (*qui*) <u>habitent</u> la région de la Baie-James, vivent dans neuf communautés. 3P 3P
	nom collectif singulier (*foule, groupe, comité, conseil, bande, monde, société,* etc.)	3S	*(Chaque **communauté** crie) est administrée* par son propre conseil. 3S
	nom collectif + GPrép : ■ introduit par *un, une*	3S ou 3P selon le sens (et selon certains pronoms ou déterminants)	*(Un **groupe** de Cris) offre* bénévolement des services d'entraide à **sa** population. 3S *(Un groupe de **parents** cris) accueillent* chez **eux** des enfants en difficulté. 3P
	■ introduit par *le, la, l', ce, cette, mon, ma,* etc.	3S (généralement)	*(Ce **groupe** de bénévoles) a demandé* de la formation en psychoéducation. 3S
	subordonnée infinitive ou subordonnée en *que* (subordonnées remplaçables par *cela*)	3S	*(Développer un baccalauréat en psychoéducation pour les Cris) s'avérait* inévitable. (cela) 3S *(Que les intervenants soient Cris) facilite* le travail avec les enfants en difficulté. (cela) 3S

SUITE ▷

▸*SUITE*

PERSONNE ET NOMBRE DE CERTAINS DONNEURS D'ACCORD DANS LE GNs			
	GNs	**Personne et nombre**	**Exemples**
Plus d'un donneur d'accord	GNs juxtaposés ou coordonnés à *moi* ou à *nous* (ensemble des GNs remplaçable par *nous*)	1P	*Mon frère*, *ma sœur* et *moi attendons* avec impatience l'arrivée de notre correspondant cri. (nous)1P *Mon frère*, *ma sœur*, *toi* et *moi attendons* avec impatience l'arrivée de notre correspondant cri. (nous)1P
	GNs juxtaposés ou coordonnés à *toi* ou à *vous* (ensemble des GNs remplaçable par *vous*)	2P	*Mon frère*, *ma sœur* et *toi attendez* avec impatience l'arrivée de notre correspondant cri. (vous)2P

Quelques ⒠rreurs fréquentes

Voici des erreurs fréquentes liées à l'accord du verbe. Après les séances d'exercices qui suivent, vous serez en mesure d'éviter de telles erreurs ou de les corriger dans vos textes. Consultez ce tableau en tout temps et particulièrement dans la séance d'entraînement quand vous verrez le pictogramme ⓞ correspondant à chaque cas d'erreur.

Tout en lisant la description et la correction des erreurs, surlignez ce qui pourrait vous être utile lorsque vous réviserez vos textes.

EXEMPLES D'ERREURS	DESCRIPTION ET CORRECTION DES ERREURS	
3P Parmi <u>les nations autochtones</u> (qui) habite‸nt au Québec, on trouve une nation inuite et dix nations amérindiennes, dont les Cris. 1P ons C'est <u>nous</u> (qui) parlera des communautés autochtones du Québec.	Le verbe précédé de *qui* est à la 3ᵉ personne du singulier alors que l'antécédent de *qui* ne l'est pas. ⊃ **Correction :** Accorder le verbe selon la personne et le nombre de l'antécédent de *qui*.	❶
3P (Ils) <u>Les conseils de bande</u> gère‸nt la vie politique de leurs collectivités.	Le verbe est accordé avec le premier nom ou pronom qui le précède alors que ce n'est pas le noyau du GNs. ⊃ **Correction :** Identifier le noyau du GNs et déterminer sa personne et son nombre en recourant à l'effacement ou au remplacement par un pronom, puis accorder correctement le verbe.	❷

SUITE ▷

▶ *SUITE*

EXEMPLES D'ERREURS	DESCRIPTION ET CORRECTION DES ERREURS	
3P +2S=2P *ez* Est-ce que (tes parents) et (toi) ir~~on~~t au Nunavut cet été ou cet hiver ?	Le verbe est à la 3ᵉ personne du pluriel alors que l'un des GNs est *moi, toi, nous* ou *vous*. ➲ **Correction :** Accorder le verbe à la 1ʳᵉ personne du pluriel si l'un des GNs est *moi* ou *nous*, sinon l'accorder à la 2ᵉ personne du pluriel.	**3**
3P (Les populations non autochtones) gagn~~es~~ᵗ à avoir des relations harmonieuses avec les autochtones.	Le verbe est accordé comme s'il s'agissait d'un nom ou d'un adjectif. ➲ **Correction :** Choisir les marques de personne et de nombre propres au verbe conjugué.	**4**
Laure discute avec ses amis pour les convaincr~~en~~t d'aller voir le film inuit « Atanarjuat ». En les rencontrant~~s~~, elle veut les convaincr~~es~~.	Le verbe à l'infinitif ou au <u>participe présent</u> est accordé. ➲ **Correction :** Supprimer les marques de pluriel ajoutées à tort à l'infinitif ou au participe présent.	**5**

Séance d'échauffement

1 Dans les phrases ci-après, soulignez les verbes conjugués et encerclez les GNs.

≡ MON OUVRAGE
DE RÉFÉRENCE

TITRE : _____

_____

MOTS CLÉS : *sujet, verbe, accord.*

PAGES : _____

> **AU BESOIN,** suivez les étapes suivantes pour délimiter les GNs.
>
> ☐ Repérez l'élément qui répond à la question *Qui est-ce qui* (+ *verbe*) ? ou *Qu'est-ce qui* (+ *verbe*) ?
>
> ☐ Encerclez les groupes de mots pouvant être encadrés par *c'est… qui* ou *ce sont… qui*.
>
> ☐ Encerclez les groupes de mots pouvant être remplacés devant le verbe par un pronom personnel sujet (*il, elle, on, nous, vous, ils, elles*) ou par *cela*.

1 Les gouvernements du monde entier doivent réfléchir à la place qu'occupent les peuples autochtones ainsi qu'à leurs droits .

2 Depuis plusieurs années , des projets de développement , des revendications territoriales et des conventions ont fait évoluer la condition des autochtones au Québec .

3 Être propriétaires de leurs terres est très important pour les Cris ou les Inuits .

2 **a)** Au-dessus des GNs encerclés dans les phrases ci-dessous:

- inscrivez un pronom (un pronom personnel sujet ou le pronom *cela*) qui pourrait remplacer le ou les GNs dans la phrase;
- inscrivez la personne et le nombre du GNs (1S, 2S, 3S, 1P, 2P ou 3P);
- faites un point au-dessus du noyau de chaque GNs, s'il y a lieu, et reliez-le au verbe à l'aide d'une flèche.

1 (Les conseils de bande amérindiens) gèrent la vie politique et

administrative de leurs collectivités.

2 (Mes amis) et (moi) participerons à un échange interculturel entre Inuits

et Québécois francophones.

3 (Les nations inuite, crie et naskapie) ne sont pas **couvertes** par la

Loi sur les Indiens: (elles) ont signé des conventions particulières.

4 (Que (les Inuits) revendiquent des droits de chasse et de pêche) est

légitime.

b) Le mot en gras dans la phrase **3** n'est pas un verbe conjugué en personne. Justifiez son accord.

_____

_____

_____

🏠 Séance d'entraînement

1 **a)** Récrivez les phrases suivantes en encadrant le pronom sujet par *c'est… qui* ou *ce sont… qui*. Au besoin, modifiez la forme du pronom (ex.: *je → moi*).

1 Je suis allée voir le film *Atanarjuat*.

_____

2 Ils ont trouvé les acteurs inuits excellents.

_____

3 Vous me recommandez d'aller voir ce film.

_____

b) Dans vos phrases, soulignez de deux traits l'antécédent de *qui* et reliez *qui* au verbe.

2 **a)** Dans les numéros ci-dessous, récrivez les deux phrases en une seule : la seconde doit devenir une subordonnée relative dans la première et le groupe de mots encadré doit être remplacé par le pronom relatif *qui* sujet.

> L'endroit où joindre la subordonnée relative est indiqué en couleur.

1 Les comédiens ∧ sont originaires d'Igloolik. ⌐Les comédiens¬ jouent dans le film *Atanarjuat*.

_____

_____

2 Le Québec a mis sur pied des programmes gouvernementaux en santé ∧. ⌐Ces programmes¬ s'adressent aux Cris, aux Inuits et aux Naskapis.

_____

_____

b) Dans vos phrases, soulignez de deux traits l'antécédent de *qui*, puis reliez chaque verbe au noyau de son GNs.

3 Corrigez l'accord des verbes soulignés dans les phrases suivantes.

> **AU BESOIN**, encadrez *qui* ou *c'est… qui*, puis :
> ☐ au-dessus, inscrivez le pronom personnel sujet qui serait employé devant le verbe si la phrase était construite sans *c'est… qui* ;
> ☐ ou soulignez de deux traits l'antécédent de *qui*.

Attention, ⓔrreurs !

1 C'est moi qui <u>a</u> fait la recherche sur Zacharias Kunuk , le réalisateur

d'*Atanarjuat* .

2 Parmi les films qui <u>se trouvait</u> en nomination au festival de Cannes

en 2001 figurait *Atanarjuat* .

3 Est-ce que c'est vous qui <u>voulaient</u> me parler des sculptures de Zacharias Kunuk ?

4 Dans les phrases ci-après, encerclez le GNs des verbes entre parenthèses, puis : **2**

- au-dessus du noyau du GNs, inscrivez sa personne et son nombre (1S, 2S, 3S, 1P, 2P ou 3P) ;

- accordez les verbes entre parenthèses ; conjuguez-les au présent de l'indicatif si aucun temps n'est indiqué.

> **AU BESOIN**, suivez les étapes suivantes pour identifier le noyau du GNs.
>
> ☐ Remplacez le GNs par un pronom sujet.
>
> ☐ Rayez les mots qui font écran entre le verbe et le noyau du GNs :
>
> - les expansions du noyau du GNs ;
> - les pronoms compléments du verbe.

1 Lorsqu'un enfant balbutie ses premiers mots, ses parents

l'_____ (*encourager*) à s'exprimer, à communiquer.

2 La langue qu'un enfant développe avec ses parents _____

(*constituer*) la langue maternelle de l'enfant.

3 L'apprentissage des langues secondes _____(*devoir*,

conditionnel) pouvoir se faire dans les mêmes conditions que

_____ (*se faire*) celui de la langue maternelle.

4 Les encouragements que nos parents nous _____ (*donner*)

nous _____ (*aider*) à développer notre confiance en nous.

5 Nous sommes scandalisés quand nous pensons que, il y a quelques

dizaines d'années, on enlevait les enfants autochtones à leur famille,

puis on les _____ (*isoler*, imparfait) dans des pensionnats

où on les _____ (*empêcher*, imparfait) de parler leur

langue maternelle.

5 **a)** Dans les GNs encerclés dans les phrases ci-après, encadrez le nom collectif et, s'il n'a pas de complément, indiquez au-dessus sa personne et son nombre (1S, 2S, 3S, 1P, 2P ou 3P).

2

b) Dans les GNs formés d'un nom collectif et d'un GPrép, identifiez le donneur d'accord du verbe en mettant un point au-dessus et indiquez sa personne et son nombre.

Portez une attention particulière aux déterminants possessifs en gras dans les phrases **4** et **5**.

c) Accordez les verbes entre parenthèses ; conjuguez-les au présent de l'indicatif si aucun temps n'est indiqué.

1 En général , (le monde) *(connaître)* _____ peu

les nations autochtones .

2 (Une foule d'émissions en langue crie) *(être)* _____

maintenant diffusées à la télévision .

3 (Le nombre d'écoles où l'on enseigne les langues autochtones) *(augmenter,*

passé composé) _____ depuis la signature de

nombreuses conventions reconnaissant plus de droits aux autochtones .

4 (Un grand nombre d'autochtones) *(apprendre)* _____

maintenant **leur** langue maternelle à l'école .

5 (Un grand nombre d'autochtones) *(apprendre)* _____

maintenant **sa** langue maternelle à l'école .

6 **a)** Dans les phrases ci-dessous, soulignez les verbes conjugués et encerclez les GNs. **2**

b) Au-dessus de chaque GNs, inscrivez un pronom qui pourrait le remplacer (un pronom personnel sujet ou le pronom *cela*) et corrigez l'accord du verbe.

Attention, erreurs !

1 Faire appel à une université pour former des psychoéducateurs cris s'avéraient nécessaire .

2 Quitter son travail , sa communauté et sa famille régulièrement pour des formations de dix jours posent certaines difficultés aux intervenantes sociales cries .

3 Que les intervenants en psychoéducation aient persévéré à suivre leurs formations malgré les nombreuses difficultés sont courageux .

---

7 Dans les phrases suivantes, encerclez, s'il y a lieu, les GNs qui sont juxtaposés ou **2 et 3** coordonnés aux GNs déjà encerclés, puis :

■ au-dessus des GNs, inscrivez un pronom qui pourrait les remplacer ;

■ accordez les verbes entre parenthèses (conjuguez-les au temps de l'indicatif indiqué).

1 Le Nunavut , les Territoires du Nord-Ouest et (le Yukon) (*se trouver*, présent) _____ au nord du Canada .

2 Alexia , Joëlle , toi et (moi) (*apprendre*, passé composé) _____ que le mot *circumpolaire* faisait référence à ce qui est ou a lieu autour d'un pôle .

3 Selon Teymour et Lucas , (Zacharias Kunuk) (*être*, conditionnel présent) _____ un très bon sculpteur , en plus d'être un excellent réalisateur .

4 La semaine dernière , Xavier , Robin et (toi) (*pouvoir*, conditionnel passé) _____ assister gratuitement à une représentation du film *Atanarjuat* .

5 Au festival de Cannes, au festival international du film de Toronto, puis au festival des nouveaux cinémas et des nouveaux médias de Montréal, entre autres, (le film *Atanarjuat*) (*se distinguer*, passé composé) _____.

8 Dans les extraits suivants, choisissez la forme qui convient entre les parenthèses et transcrivez-la. Attention, l'une des formes peut être fautive. **1 à 5**

« Vue sur grand écran, l'expression de la culture et de l'esthétique traditionnelles inuites par les technologies actuelles **1** (*provoque, provoquent*) _____ des résultats esthétiques subtils et inusités qui **2** (*fascine, fascinent*) _____. »

« Le film *Atanarjuat*, en nous **3** (*entraînant, entraînants*) _____ chez les Inuits d'il y a quatre ou cinq siècles, nous **4** (*fait, faits*) _____ **5** (*voyager, voyagers*) _____ en *terra incognita*. »

« Une fenêtre de fine peau transparente de tripes de mammifère marin **6** (*laisse, laissent*) _____ pénétrer la lumière blanche d'une soirée d'été. »

« Des équipements d'enregistrement à la fine pointe de la technologie digitale **7** (*côtoie, côtoient*) _____ les technologies inuites traditionnelles. »

« [Oki] regarde avec désarroi Atanarjuat qui **8** (*s'enfuit, s'enfuient*) _____ de l'autre côté de la crevasse et **9** (*court, courent*) _____ nu, sur la banquise, pour sauver sa peau. L'eau glaciale et noire les **10** (*sépare, séparent, sépares*) _____ irrémédiablement. »

« Atanarjuat, l'homme rapide, **11** (*raconte, racontent*) _____ une légende qui date de bien avant la venue des Blancs dans l'Arctique. Histoire d'une communauté qui **12** (*est déchirée, sont déchirés*) _____ par la rivalité entre deux familles, la trame dramatique **13** (*à, a*) _____ des allures shakespeariennes : meurtres, vengeance et interventions surnaturelles **14** (*colore, colorent, colores*) _____ le récit raconté par les aînés de la région d'Igloolik depuis des centaines d'années. »

« C'était la première fois qu'une compagnie canadienne **15** (*voulait, voulaient*) _____ produire un film pour la télévision en langue aborigène (dans ce cas-ci, l'inuktitut). »

Extraits de Marie-Hélène Cousineau, « De Igloolik à Hollywood »
dans *Le toit du monde*, tdm@nunafranc.ca

⊡ Qualification pour l'épreuve finale

1 Complétez la révision du texte à l'aide des pistes de révision ci-dessous. Cochez une case chaque fois qu'une étape vous permet de corriger une erreur. Les autres cases vous serviront au numéro **2**.

⊙ PISTES DE RÉVISION

Orthographe

☐ ☐ Souligner les verbes conjugués et encercler les GNs (le GNs peut être le pronom relatif *qui*).

☐ ☐ Inscrire, au-dessus des GNs, un pronom pouvant les remplacer ou, s'il s'agit déjà de pronoms, souligner de deux traits leur antécédent quand ils en ont un.

☐ ☐ Inscrire la personne (1, 2 ou 3) et le nombre (S ou P) du donneur d'accord du verbe.

☐ ☐ Relier le verbe à son donneur et vérifier les marques d'accord du verbe.

☐ ☐ S'assurer que les verbes conjugués ne sont pas des verbes à l'infinitif ou au participe présent accordés à tort.

☐ ☐ S'assurer que des verbes ne sont pas orthographiés comme des mots d'une autre classe (ex.: *à / a, on / ont, appel / appelle*) et vice versa.

Attention, ⊜rreurs !

1S ⟳ ai

C'est <u>moi</u> (qui) ⟋ entendu la série d'émissions de radio en direct du Nord québécois.

L'animatrice de ces émissions rencontraient des jeunes autochtones dans leur école.

Le groupe d'adolescents parlaient de ses expériences de vie quotidienne et répondaient

aussi à des appelles d'autres jeunes du Québec ou d'ailleurs au Canada. Mes frères

et moi avaient envie d'en savoir plus sur eux ; leur mode de vie nous intriguait. Nous

avons réussi à les rejoindrent au téléphone et à leur poser quelques questions.

Cette communauté nous ont beaucoup impressionné. Une partie des jeunes disaient

vivrent dans une ville avec toutes les commodités qui fait aussi partie de notre vie :

électricité, eau chaude, télévision, toilette intérieure. Cependant, d'autres jeunes à

• • •

qui nous avons parlé disait vivre dans une petite cabane sans eau chaude et avec

une toilette à l'extérieur . C'est nous qui ont été épatés quand ils nous ont dit que

les gens de la ville ne jugeaient pas ceux qui choisissait de vivre plus isolés

et sans toutes les commodités .

---

2 **a)** Choisissez un des parcours suivants et, sur une feuille mobile, écrivez votre texte que vous réviserez à l'aide des pistes de révision données au numéro 1. Cochez une case chaque fois qu'une nouvelle piste vous a permis de corriger une erreur.

Parcours narratif

Écrivez un court paragraphe dans lequel vous racontez une rencontre entre un groupe de marcheurs en montagne et un ermite isolé de la vie urbaine depuis plus de dix ans. Dans votre texte, le groupe de marcheurs et l'ermite doivent faire valoir leur choix de vie respectif.

Parcours explicatif

Écrivez un court texte dans lequel vous expliquez pourquoi vous aimeriez vivre isolé sans électricité ou pourquoi vous détesteriez cela. Dites ce que le monde autour de vous (votre famille, vos amis, votre classe) penserait de votre choix.

b) Dans la grille de révision qui suit, insérez les pistes qui vous ont été les plus utiles. Vous pouvez les personnaliser et en ajouter. Dans la colonne de droite, inscrivez les pages de vos ouvrages de référence et quelques trucs.

VERS UNE GRILLE DE RÉVISION

QUELQUES PISTES DE RÉVISION	MES OUTILS ET MES TRUCS
ORTHOGRAPHE	

L'accord du participe passé

Synthèse des connaissances

Tout en lisant, surlignez les éléments qui vous semblent
essentiels pour savoir comment accorder les participes passés.

Le participe passé est une forme du verbe. C'est un **receveur d'accord**. Lorsqu'il s'accorde, le participe passé reçoit le **genre** (M ou F) et le **nombre** (S ou P) de son donneur d'accord.

MS   FS   MP   FP

Ex. : **Il est** entré.   **Elle est** entrée.   **Ils sont** entrés.   **Elles sont** entrées.

La règle d'accord du participe passé dépend de son emploi dans la phrase. Ainsi, une règle s'applique plutôt qu'une autre selon qu'il s'agit d'un **participe passé** :

- employé **comme un adjectif dans un GN** (ou participe passé dit *employé seul*) ;

- employé **avec** *être* ou **avec n'importe quel** <u>verbe attributif</u> ;

- employé **avec** *avoir* ;

- d'un **verbe pronominal** (ex. : *se rappeler, voir l'unité 2, page 16*).

Les principales règles d'accord du participe passé

Dans les quatre règles suivantes, reliez
les pointes de flèches et les donneurs d'accord.

RÈGLE 1 : Le participe passé employé **comme un adjectif dans un GN** s'accorde avec le **nom** ou le **pronom dont il est le complément.**

                        GN
        MP

Ex. : Les **bourgs** *fortifiés du Moyen Âge* attiraient les marchands.

                       GN
                                 MP

*Construits pour résister aux invasions, **ils** étaient au départ des places militaires.*

RÈGLE 2 : Le participe passé employé **avec** *être* ou **avec n'importe quel verbe attributif** s'accorde avec le **nom** ou le **pronom noyau du GNs.**

                        GNs
        MP

Ex. : (Les **faubourgs** *construits autour des bourgs*) <u>*sont*</u> *devenus des villes,*

accueillant les premiers bourgeois.

Règle 3 : Le participe passé employé **avec** *avoir* s'accorde avec le **nom** ou le **pronom noyau du GN complément direct du verbe** placé **avant le verbe**. Quand ce complément est un pronom (ex. : *que, le (l'), la (l'), les*), il porte le genre et le nombre de son antécédent.

compl. dir. du V *ont développées*
FP

Ex. : *Dès le Xᵉ siècle, les mentalités* **qu'***ont développées les gens des villes s'opposaient au pouvoir seigneurial.*

compl. dir. du V *ai prêtés*
MP

Je vous **les** *ai prêtés, mes livres sur le Moyen Âge.*

Le participe passé employé avec *avoir* **ne s'accorde pas** :

- si le **complément direct** du verbe est placé **après** le verbe ;

compl. dir. du V *ont développé*

Ex. : *Au Moyen Âge, les gens des villes* **ont** *développé* des mentalités qui s'opposaient au pouvoir seigneurial.

- si le verbe n'a **pas de complément direct**.

compl. indir. du V *ont contribué*

Ex. : *Les fleuves d'Europe* **ont** *contribué* à l'essor du commerce.

compl. indir. du V *avons parlé*

Ex. : *Nous* leur en *avons parlé.*

Règle 4 : Le participe passé d'un **verbe pronominal** n'a pas le même donneur d'accord selon que le verbe a un complément direct ou non.

- Le participe passé d'un verbe pronominal **avec complément direct du verbe** s'accorde avec ce **complément** s'il est placé **avant le verbe**.

compl. dir. du V *se sont échangés*
MP

Ex. : *Les livres* **qu'***elles se sont échangés ont pour sujet le Moyen Âge.*

- Le participe passé d'un verbe pronominal **sans complément direct du verbe** :

- **ne s'accorde pas si le pronom** compris dans le verbe pronominal a la fonction de **complément indirect du verbe** ; le pronom est alors l'équivalent de *À QQN / À QQCH.*

Ex. : *Elles* SE *sont parlé de l'art gothique.* *Ils* se *sont nui.*
parler À QQN : À ELLES-MÊMES   nuire À QQN : À EUX-MÊMES

- s'accorde avec le **nom** ou le **pronom noyau du GNs** dans tous les autres cas.

FP

Ex. : *Au Moyen Âge,* (les villes) *se sont agrandies.*

MP

(Les citadins) *se sont libérés d'une partie du pouvoir seigneurial.*

▶❯ REMARQUES

1. Les verbes qui sont toujours pronominaux (ou *essentiellement* pronominaux) font partie des verbes qui s'accordent avec le noyau du GNs (ex. : *elle s'est accroupie*).

2. Les verbes pronominaux forment leurs temps composés avec *être*. ❨❮

L'orthographe de la finale du participe passé au masculin singulier

Les participes passés posent des problèmes d'accord, mais aussi des problèmes d'orthographe d'usage. En effet, les participes passés se terminent par des sons qui peuvent être écrits de différentes manières même quand ils ne sont pas accordés ; ils ont alors la même forme que celle du masculin singulier.

PRINCIPALES FINALES DES PARTICIPES PASSÉS AU MASCULIN SINGULIER		
Son	**Orthographe**	**Exemples**
« é »	- *é*	*aimé, crié, trouvé, nettoyé* (la majorité des verbes en -*er* ainsi que *être* : *été* et *naître* : *né*)
« i »	- *i* s'il se termine par le son « i » au féminin - *is* s'il se termine par le son « ize » au féminin - *it* s'il se termine par le son « ite » au féminin	*bouilli, nui, relui, réussi, ri, servi* *acquis, conquis, mis, pris* *conduit, cuit, dit, écrit, frit*
« u »	- *u*	*bu, cousu, lu, rendu, su, valu, vu*

▶❯ ATTENTION ! Au participe passé, *mourir* devient *mort*; *offrir, offert*; *ouvrir, ouvert*; *faire, fait*; *clore, clos*; *absoudre, absous*; *dissoudre, dissous*; *inclure, inclus*; *peindre, teindre* et les autres verbes en -*indre* deviennent *peint, teint*, etc. ❨❮

Quelques e rreurs fréquentes

Voici des erreurs fréquentes liées à l'accord du participe passé. Après les séances d'exercices qui suivent, vous serez en mesure d'éviter de telles erreurs ou de les corriger dans vos textes. Consultez ce tableau en tout temps et particulièrement dans la séance d'entraînement quand vous verrez le pictogramme ●0 correspondant à chaque cas d'erreur.

Tout en lisant la description et la correction des erreurs, surlignez ce qui pourrait vous être utile lorsque vous réviserez vos textes.

EXEMPLES D'ERREURS	DESCRIPTION ET CORRECTION DES ERREURS	
Fasciné par le Moyen Âge, elle s'intéresse surtout aux poèmes courtois apparu au XIᵉ siècle.	Mauvais accord du participe passé employé comme un adjectif dans un GN. ⊃ **Correction :** Déterminer le genre et le nombre du nom ou du pronom dont le participe passé est le complément, et accorder le participe passé.	❶
Les poèmes courtois sont apparu au XIᵉ siècle.	Non-accord du participe passé employé avec *être* ou avec n'importe quel verbe attributif. ⊃ **Correction :** Déterminer le genre et le nombre du noyau du GNs et accorder le participe passé.	❷
Les formes que la littérature a prise au Moyen Âge sont variées. La poésie courtoise a connu un grand succès en France et en Italie.	Accord du participe passé employé avec *avoir* comme s'il était employé avec *être*. ⊃ **Correction :** ▪ Si le verbe est précédé d'un complément direct, déterminer le genre et le nombre de ce complément ou de son antécédent, et accorder le participe passé. ▪ Si le verbe n'a pas de complément direct ou que ce complément est après le verbe, supprimer les marques d'accord du participe passé.	❸
Quelles formes la littérature a-t-elle pris au Moyen Âge ? La légende qu'ils se sont raconté est celle du roi Arthur et des chevaliers de la Table ronde.	Non-accord du participe passé employé avec *avoir* ou du participe passé d'un verbe pronominal précédé d'un complément direct du verbe. ⊃ **Correction :** Déterminer le genre et le nombre du complément direct du verbe ou de son antécédent, et accorder le participe passé.	❹
(parler À ELLES-MÊMES) Elles se sont parlées de la légende arthurienne toute la journée. Elles se sont bien amusé.	Mauvais accord du participe passé du verbe pronominal sans complément direct. ⊃ **Correction :** Vérifier si le pronom réfléchi est l'équivalent de *À QQN / À QQCH.* : ▪ si oui, supprimer les marques d'accord du participe passé ; ▪ sinon, accorder le participe passé avec le noyau du GNs.	❺

⊞ Séance d'échauffement

1 **a)** Soulignez les sept participes passés contenus dans les phrases suivantes.

≡ MON OUVRAGE
DE RÉFÉRENCE

TITRE : _____
_____

MOTS CLÉS : *participe passé,
verbe attributif.*

PAGES : _____

> **AU BESOIN,** pour repérer les participes passés, cherchez les mots qui proviennent de verbes (souvent des mots en « é », « i » ou « u ») :
>
> ☐ dans un GV : à la suite de *avoir*, de *être* ou de n'importe quel <u>verbe attributif</u> ;
>
> ☐ dans un GN : après un nom ou un pronom, ou en début de phrase.

1 Pendant la première moitié du Moyen Âge, les guerres incessantes pour la possession de territoires ainsi que les invasions de guerriers venus du Nord (les Vikings) ont empêché le développement durable de l'agriculture.

2 Ce n'est qu'à partir du xe siècle que les conditions de vie se sont améliorées, autant pour les paysans vivant du produit de la terre que pour le reste de la population se nourrissant des fruits récoltés.

3 La technique de la jachère, qui consiste à laisser une terre sans culture pendant une année, était souvent utilisée au début du Moyen Âge de sorte que les rendements se trouvaient réduits.

4 Mise au repos pendant une année, une portion de terre risquait moins de s'épuiser.

b) Classez les participes passés que vous avez soulignés selon leur emploi.

EMPLOI DU PARTICIPE PASSÉ	PARTICIPE PASSÉ
comme un adjectif dans un GN	_____
avec *être* ou avec n'importe quel verbe attributif	_____
avec *avoir*	_____
d'un verbe pronominal	_____

2 **a)** Dans les phrases suivantes, reliez les participes passés numérotés à leur <u>donneur d'accord</u> s'il y a lieu. Si c'est un pronom, soulignez de deux traits son <u>antécédent</u>.

MON OUVRAGE DE RÉFÉRENCE

TITRE : _____

MOTS CLÉS : *accord du participe passé, donneur d'accord.*

PAGES : _____

b) Complétez les règles d'accord ci-après.

La civilisation occidentale est **1** **apparue** dans l'Ouest de l'Europe, au Moyen Âge. La croissance rapide de la population a

2 **provoqué** des famines puisqu'il n'y avait pas assez de nourriture pour toute la nouvelle population.

3 **Affamés**, les gens se sont **4** **mis** à manger n'importe quelle charogne et des maladies se sont rapidement **5** **développées**.

La maladie la plus grave que les populations médiévales ont **6** **développée** était la peste.

La moindre tache qu'une personne s'était **7** **découverte** sur le corps pouvait passer pour un symptôme de la peste.

Certaines personnes se sont **8** **nui** en gardant chez elles un malade **9** **atteint** de la peste.

Règles

- Le participe passé employé comme un adjectif dans un GN s'accorde avec _____ _____ (ex. : numéros : _____).

- Le participe passé employé avec *être* ou avec n'importe quel verbe attributif s'accorde avec _____ (ex. : numéro : _____).

- Le participe passé employé avec *avoir* s'accorde avec le complément _____ du verbe quand ce complément est placé _____ le verbe (ex. : numéro : _____).

  Il ne s'accorde pas quand le verbe n'a pas de complément _____ ou quand ce complément est placé _____ le verbe (ex. : numéro : _____).

- Le participe passé d'un verbe pronominal :

  • avec complément direct s'accorde avec ce complément s'il est placé _____ le verbe (ex. : numéro : _____).

  • sans complément direct s'accorde généralement avec le noyau du GNs (ex. : numéros : _____), sauf si le pronom (ex. : *me, te, se, nous, vous*) a la fonction de complément _____ du verbe ; il est alors l'équivalent de _____ (ex. : numéro : _____).

3 **a)** Pour chaque verbe à l'infinitif :

- inscrivez son participe passé au féminin singulier, puis au masculin singulier ;
- surlignez les lettres communes dans la finale des participes passés au féminin et au masculin.

> ## AU BESOIN, consultez un dictionnaire ou un ouvrage de référence en conjugaison.

VERBES À L'INFINITIF	PARTICIPES PASSÉS AU FÉMININ SINGULIER	PARTICIPES PASSÉS AU MASCULIN SINGULIER
1 aller		
2 créer		
3 finir		
4 courir		
5 admettre		
6 écrire		
7 comprendre		
8 prétendre		
9 teindre		
10 mourir		

b) Complétez l'énoncé suivant :

Certains participes passés au masculin singulier se terminent par une lettre qui ne se prononce pas (ex. : *admis*, _____, _____, _____, _____). Cependant, cette lettre se prononce quand le participe passé est au _____ (ex. : *admise*, _____, _____, _____, _____).

⊞ Séance d'entraînement

1 Dans les GN encadrés, soulignez les participes passés et les adjectifs <u>compléments</u> <u>du nom ou du pronom</u> et corrigez leur accord, s'il y a lieu.   ①

> AU BESOIN, suivez les étapes suivantes pour faire les accords.
>
> ☐ À l'aide d'une flèche, reliez les participes passés et les adjectifs
> au nom ou au pronom qu'ils complètent.
>
> ☐ Indiquez le genre (M ou F) et le nombre (S ou P) du nom ou
> du pronom.

Attention, ⊜rreurs !

1 Avec leur armure et leur cotte de mailles, les chevaliers bien entraîné pouvaient

monter et descendre de cheval, manier leur lourd épée et même courir.

2 La meilleure partie des terres, réservé au seigneur, s'appelait la réserve.

3 Souvent très élevé, les redevances que les serfs et les tenanciers devaient payer

au seigneur étaient accumulées au terme d'un travail laborieux.

4 Voici un aperçu des redevances payé par le paysan : impôt prélevé par l'Église

sur les récoltes et impôt perçu par le seigneur, redevance pour utilisation

obligatoire du moulin, du four et du pressoir du seigneur.

5 Le seigneur vivait aux dépens des paysans ; pourvu de peu de droits et de beaucoup

d'obligations, ceux-ci avaient parfois du mal à nourrir leur propre famille.

2 **a)** Dans les phrases ci-après, écrivez le participe passé du verbe entre parenthèses et accordez-le.   **2et5**

> ## AU BESOIN, suivez les étapes suivantes pour accorder les participes passés.
>
> ☐ Soulignez le <u>verbe attributif</u> ou l'<u>auxiliaire</u> avec lequel le participe passé est employé.
>
> ☐ Encerclez le groupe de mots qui contient son donneur d'accord et inscrivez au-dessus son genre et son nombre.

1 La vie des paysans se trouve grandement (*améliorer*) _____ à partir du XIe siècle.

2 C'est vers le XIe siècle que la rotation des cultures est (*apparaître*) _____.

3 Lorsque les légumineuses ont été (*introduire*) _____ dans l'alimentation, la santé des gens s'est **améliorée**.

b) Le participe passé en gras dans la phrase **3** est employé avec l'auxiliaire *être*. Qu'a-t-il de particulier si on le compare avec celui dans la phrase **1** ?

_____

_____

3 **a)** Avec quel auxiliaire sont conjugués les verbes en gras dans les phrases suivantes ?   **3et4**

_____

1 Au XIe siècle, les prix du métal **ont baissé**___ parce que les guerres étaient moins nombreuses et qu'on fabriquait moins d'armes.

2 En ajoutant des pièces de métal à certains outils de bois, on les **a rendu**___ plus efficaces.

3 Les fers à cheval qu'on **a installé**___ aux sabots des chevaux à partir du XIe siècle leur **ont permis**___ d'augmenter leur force de traction et d'être plus efficaces pour labourer les champs.

4 Que d'efforts ils **ont économisé**___ en inventant le collier rigide pour atteler les chevaux !

5 À partir du moment où les paysans **ont fait**___ la rotation des cultures, leur alimentation ainsi que celle de leurs animaux **a été**___ plus abondante et plus variée.

b) Dans les phrases en **a)** :

- encadrez les compléments directs des verbes en gras. S'il s'agit de pronoms, soulignez de deux traits leur antécédent ;

- au-dessus des compléments directs placés devant le verbe, inscrivez leur genre et leur nombre ;

- accordez les participes passés.

> **AU BESOIN**, suivez les étapes suivantes pour repérer les compléments directs du verbe.
>
> ☐ Encerclez le GNs.
>
> ☐ Encadrez chaque construction qui peut être remplacée après le verbe par *QQCH.*, *QQN* ou par *cela*, et avant le verbe par l'un de ces pronoms : *le* (*l'*), *la* (*l'*) ou *les*.
>
> ☐ Encadrez le pronom relatif *que*, qui pourrait être remplacé après le verbe par *QQCH.* ou par *QQN* si on transforme la relative en une phrase fonctionnant seule.

4 **a)** Au-dessus des participes passés entre parenthèses dans les phrases ci-après, ②et③ indiquez la règle d'accord qui s'applique. Pour ce faire, inscrivez :

- R2 pour les participes passés employés avec *être* ;

- R3 pour les participes passés employés avec *avoir*.

b) Accordez les participes passés entre parenthèses.

> **AU BESOIN**, suivez les étapes suivantes pour accorder les participes passés employés avec *être* ou avec *avoir*.
>
> ☐ Encerclez le GNs, et inscrivez le genre et le nombre de son noyau si le verbe est formé avec *être*.
>
> ☐ Encadrez le complément direct du verbe s'il y a lieu et inscrivez son genre et son nombre s'il est devant le verbe.
>
> ☐ Reliez le participe passé à son donneur d'accord.

1 Lors des croisades, les Occidentaux ont (*découvert*) _____ les richesses de l'Orient.

2 Les villes qui ont (*connu*) _____ les meilleurs développements

sont celles qui étaient (*situé*) _____ près des routes commerciales.

3 La fin du Moyen Âge a été (*marqué*) _____ par l'essor du commerce international.

4 Les marchés que les nouveaux commerçants ont (*établi*) _____

autour des bourgs ont (*favorisé*) _____ la création des grandes

villes européennes.

5 Les épices et les pierres précieuses qu'ont (*découvert*) _____ les

Occidentaux ont aussitôt (*fait*) _____ l'envie des Européens des

classes dominantes.

5 **a)** Dans les phrases suivantes, encadrez le complément direct des verbes en gras et, s'il précède le verbe, inscrivez au-dessus son genre et son nombre, selon son antécédent.

b) Accordez le participe passé des verbes, s'il y a lieu.

1 Les foires que les marchands du Moyen Âge **ont créé**___ étaient situées

près des routes terrestres et maritimes. (_____

_____)

2 Les marchandises que les commerçants **se sont échangé**___ lors des

foires provenaient d'Orient comme d'Occident. (_____

_____)

3 L'attelage de chevaux en file et la nef **ont permis**___ que les marchandises

circulent plus rapidement, sur la terre et sur la mer. (_____

_____)

4 Les différents royaumes européens **se sont créé**___ des monnaies dont

la valeur variait. (_____)

c) Dans les parenthèses en fin de phrase, indiquez s'il s'agit d'un participe passé employé avec *avoir* ou d'un participe passé d'un verbe pronominal.

d) Que remarquez-vous quand vous comparez la règle d'accord du participe passé employé avec *avoir* à celle du participe passé du verbe pronominal avec complément direct ?

_____

_____

6 **a)** Soulignez les verbes pronominaux dans les phrases ci-après.

5

> **AU BESOIN**, suivez les étapes suivantes pour repérer les verbes pronominaux.
>
> ☐ Repérez les verbes comprenant les pronoms suivants : *me* (*m'*), *te* (*t'*), *se* (*s'*), *nous, vous*.
> ☐ Assurez-vous que le pronom est de la même personne que le GNs.

Attention, erreurs !

1 Octavie s'est intéressé très jeune à l'art gothique.

2 Aux XIe et XIIe siècles, les moines et les moniales se sont installé en dehors des villes et ont consacré leur vie à la prière.

3 « Nous nous sommes émerveillé devant les costumes des chevaliers avec leurs armures resplendissantes », ont raconté Paolo et Vincent, à la sortie de la pièce de théâtre.

4 « Je me suis un peu ennuyé pendant la longue scène où les chevaliers sont entrés en marchant à la file et ont revêtu leur cotte de mailles et leur armure », a dit Claudine.

5 « Je me suis épris pour la belle princesse aux cheveux roux », a avoué Émile.

b) Encerclez le GNs du verbe pronominal et encadrez son complément direct s'il y a lieu.

c) Indiquez le genre et le nombre du GNs et accordez le participe passé du verbe pronominal.

7 Lisez la phrase suivante et cochez la raison pour laquelle le participe passé en gras ne s'accorde pas.   **5**

> Elles se sont **parlé** des *Serments de Strasbourg*, le premier document écrit en langue française.

☐ Le complément direct du verbe est placé après le verbe.

☐ Le complément indirect du verbe est placé après le verbe.

☐ Le verbe n'a pas de complément direct et le pronom *se* est complément indirect.

8 Dans les phrases ci-après, accordez les participes passés des verbes pronominaux en gras.   **4 et 5**

> **AU BESOIN,** suivez les étapes suivantes pour faire l'accord des participes passés des verbes pronominaux.
>
> ☐ Encerclez le GNs du verbe pronominal.
>
> ☐ Encadrez son complément direct s'il en a un.
>
> ☐ Si le verbe a un complément direct:
>   - accordez le participe passé avec ce complément s'il est avant le verbe;
>   - n'accordez pas le participe passé si le complément est après le verbe.
>
> ☐ Si le verbe n'a pas de complément direct:
>   - n'accordez pas le participe passé si son pronom *me, te, se, nous* ou *vous* est l'équivalent de *À QQN/À QQCH.*;
>   - accordez le participe passé avec le noyau du GNs dans tous les autres cas.

1 Les réseaux de communication des marchands **se sont amélioré**___ au cours des XIIe et XIIIe siècles.

2 Les cartes géographiques qu'ils **se sont montré**___ illustrent les villes et le commerce européens au XIIIe siècle.

3 Elles **se sont prêté**___ des crayons de couleur pour distinguer les différentes routes commerciales sur leur carte.

4 Ils **se sont regardé**___ et **se sont souri**___ après avoir caché la carte de leurs camarades.

9 **a)** Au-dessus des participes passés entre parenthèses du texte suivant, indiquez **1à5**
la règle d'accord qui s'applique. Pour ce faire, inscrivez:

- R1 pour les participes passés employés comme adjectifs dans un GN;

- R2 pour ceux employés avec *être* ou avec n'importe quel verbe attributif;

- R3 pour ceux employés avec *avoir*;

- R4 pour ceux des verbes pronominaux.

Jeanne d'Arc est (**1** *né*) _____ en 1412 et a été (**2** *élevé*) _____

en Lorraine, en France. Vers l'âge de treize ans, elle aurait (**3** *entendu*) _____

des voix surnaturelles qui lui auraient (**4** *donné*) _____ l'ordre

de délivrer la France, en grande partie (**5** *occupé*) _____ par

les Anglais à ce moment. Les voix qu'elle a (**6** *écouté*) _____ l'ont

(**7** *mené*) _____ auprès du roi Charles, de qui elle s'est (**8** *approché*)

_____ pour lui demander une armure, une troupe et la permission d'aller

délivrer la ville d'Orléans. Jeanne d'Arc et ses troupes ont (**9** *réussi*) _____

à délivrer Orléans, mais la jeune femme a été (**10** *blessé*) _____ en tentant

de prendre Paris. Elle s'est donc (**11** *replié*) _____ et a été (**12** *capturé*)

_____, puis (**13** *remis*) _____ aux Anglais qui l'ont

(**14** *condamné*) _____ à mourir brûlée vive.

Lorsqu'elles se sont (**15** *raconté*) _____ cette histoire pour la

dixième fois, mes sœurs se sont (**16** *remis*) _____ à pleurer.

b) Reliez le participe passé à son donneur d'accord, s'il y a lieu, et accordez le
participe passé.

⊞ Qualification pour l'épreuve finale

1 Complétez la révision du texte à l'aide des pistes de révision ci-dessous. Cochez une case chaque fois qu'une étape vous permet de corriger une erreur. Les autres cases vous serviront au numéro **2**.

⟳ PISTES DE RÉVISION

Orthographe

☐ ☐   Mettre une pointe de flèche au-dessus des participes passés.

☐ ☐   Identifier la règle d'accord qui s'applique selon l'emploi du participe passé (inscrire R1, R2, R3 ou R4 au-dessus du participe passé, *voir les pages 151 et 152*).

☐ ☐   S'il s'agit d'un participe passé employé avec *avoir* ou d'un participe passé d'un verbe pronominal, encadrer le complément direct du verbe s'il y a lieu.

☐ ☐   Trouver le donneur d'accord du participe passé s'il y a lieu et inscrire son genre (M ou F) et son nombre (S ou P), selon son antécédent s'il s'agit d'un pronom.

☐ ☐   Relier le participe passé à son donneur et corriger l'accord du participe passé au besoin.

☐ ☐   Surligner les finales en « é », puis s'assurer que les participes passés en *-é* ne devraient pas être à l'infinitif (*-er*) et vice versa (*voir l'unité 3, page 34*).

☐ ☐   Surligner les finales en « i » des participes passés au masculin singulier et vérifier leur orthographe en les mettant au féminin.

Attention, ⓔrreurs !

Le personnage [que] Mathilde a créé ressemble à Iseult , l'inconnue au cheveu d'or que le roi

Marc de Cornouailles avait promis [d'épouser] (promise) . D'ailleurs , Mathilde a lu la légende de Tristan

et Iseult et elle s'est beaucoup inspiré de ses personnages . Que cette histoire l'a bouleversé !

Un matin , elle avait prit le roman , rédiger à partir de manuscrits fragmenté , écrit au XIIᵉ siècle ;

elle l'avait ouvert , en avait parcourues quelques pages d'abord lentement , puis elle était devenu

fébrile et s'était mis à lire goulûment , jusqu'à en oublié l'heure de dîner . Depuis ce jour ,

elle a envie d'écrire une version moderne de cette histoire qu'elle a tant aimé .

2 **a)** Choisissez un des parcours suivants et, sur une feuille mobile, écrivez votre texte que vous réviserez à l'aide des pistes de révision données au numéro **1**. Cochez une case chaque fois qu'une nouvelle piste vous a permis de corriger une erreur.

Le système verbal du texte que vous écrivez doit être celui du passé composé.

Parcours narratif

Écrivez un court témoignage d'une princesse qui raconte son enfance malheureuse parce qu'elle aurait voulu être une paysanne et vivre sur la terre avec les animaux, ou encore le témoignage d'une paysanne qui raconte son enfance malheureuse parce qu'elle aurait voulu être princesse et vivre dans un château. Commencez votre texte ainsi : *Lorsque je suis née, mes parents m'ont…*

Parcours explicatif

Écrivez un court texte dans lequel vous expliquez pourquoi plusieurs peuples qui ont longtemps vécu dans une monarchie ont fini par faire la révolution pour vivre dans une démocratie.

b) Dans la grille de révision qui suit, insérez les pistes de révision qui vous ont été les plus utiles. Vous pouvez les personnaliser et en ajouter. Dans la colonne de droite, inscrivez les pages de vos ouvrages de référence et quelques trucs.

VERS UNE GRILLE DE RÉVISION

QUELQUES PISTES DE RÉVISION	MES OUTILS ET MES TRUCS
ORTHOGRAPHE	

FICHE 1

L'accord de l'adjectif et son orthographe

🔲 Synthèse des connaissances

Tout en lisant, surlignez les éléments essentiels à retenir pour reconnaître et accorder un adjectif.

Du point de vue du **sens**, l'adjectif exprime une **qualité** ou une **caractéristique** s'appliquant à une chose, à un être ou à un élément plus abstrait.

Ex. : *un grand **lit**, un **enfant** somnolent, un **sommeil** profond, le **sommeil** paradoxal*

▶ **REMARQUE** Certains adjectifs, devant lesquels on peut généralement placer l'adverbe *très*, sont qualifiants (ex. : *un sommeil **très** profond*) ; d'autres sont classifiants (ex. : *le sommeil paradoxal*). ◀

L'adjectif est le noyau du GAdj. C'est un <u>receveur d'accord</u> ; il varie en **genre** (M ou F) et en **nombre** (S ou P).

Dans les GAdj encadrés, faites varier l'adjectif somnolent.

Ex. : *un homme* | très somnolent | */une femme* | très _____ |

des hommes | très _____ | */ des femmes* | très _____ |

▶ **REMARQUE** Dans le GAdj, on ne peut pas supprimer l'adjectif noyau alors qu'on peut supprimer l'**adverbe** <u>modificateur</u> de l'adjectif.

Ex. : *une femme ~~très~~ somnolente ; une femme ~~fort~~ intéressante* ◀

Les règles d'accord de l'adjectif

Règle 1 : L'**adjectif** <u>complément du nom</u> ou <u>complément du pronom</u> s'accorde avec le nom ou le pronom dont il est le complément. Il en reçoit le genre et le nombre.

FS   FS +   MS = MP   FS

Ex. : *Ma petite **amie** a retrouvé sa **peluche** et son **oreiller** favoris. Heureuse, **elle** s'est rendormie.*

▶ **REMARQUE** Plusieurs noms ou pronoms <u>donneurs d'accord</u> peuvent être juxtaposés ou coordonnés (ex. : *sa **peluche** et son **oreiller** favoris*). ◀

Règle 2 : L'<u>**adjectif attribut du sujet**</u> s'accorde avec le nom ou le pronom noyau du GNs ou avec l'ensemble des noyaux des GNs. Il en reçoit le genre et le nombre.

MP   MS + MS = MP

Ex. : *(Les **oreillers** de mon père) sont douillets, mais (le **mien**) et (**celui** de ma sœur) sont trop plats.*

Quelques cas orthographiques à surveiller

CAS 1 Les adjectifs de couleur

Ajoutez des exemples d'adjectifs de couleur.
_____

■ Les adjectifs de couleur **qui proviennent d'un nom** sont invariables.

FP

Ex. : *Il aime les taies d'oreillers* marron *ou* _____.

▶ EXCEPTIONS Les cinq adjectifs suivants prennent la marque du pluriel : *écarlates, fauves, mauves, pourpres* et *roses.* ◀

■ Les adjectifs de couleur **qui ont une forme complexe** sont invariables.

FP

Ex. : *Elle préfère les taies d'oreillers* bleu foncé, bleu-vert *ou* _____.

CAS 2 Les adjectifs en *-et*

Ajoutez un exemple d'adjectif en *-et.*

La majorité des adjectifs en *-et* forment leur féminin en *-ette* (ex. : *douillet / douillette ; maigrelet / maigrelette ; muet / muette ;* _____ / _____).

▶ EXCEPTIONS Les neuf adjectifs suivants forment leur féminin en *-ète* : *complet, incomplet, concret, désuet, discret, indiscret, inquiet, replet, secret,* soit *complète, incomplète, concrète,* etc. ◀

▶ REMARQUE Les adjectifs en *-ot* forment leur féminin en *-otte* (ex. : *boulot / boulotte ; maigriot / maigriotte ; pâlot / pâlotte ; sot / sotte ; vieillot / vieillotte*). Comme pour les adjectifs en *-et,* on double le *t* et on ajoute *e* pour former le féminin de ces adjectifs. ◀

CAS 3 Les adjectifs en *-c*

Les adjectifs *caduc, franc* (le peuple), *public* et *turc* forment leur féminin en *-que* (ex : *public / publique*) ; les adjectifs *blanc, franc* (qui a de la « franchise ») et *sec* forment leur féminin en *-che* (*blanc / blanche ; franc / franche ;* sec */ sèche*).

▶ EXCEPTIONS *grec / grecque ; chic / chic.* ◀

FICHE

⊞ Exercices

1 Orthographiez correctement les adjectifs qui sont écrits au son et faites-les varier en genre et en nombre s'il y a lieu.

AU BESOIN, consultez un dictionnaire.

ADJECTIFS ÉCRITS AU SON	MS	FS	MP	FP
1 «fasil»				
2 «naturèl»				
3 «jénial»				
4 «peureu»				
5 «nouvo»				
6 «kokè»				
7 «sekrè»				
8 «idio»				
9 «so»				
10 «plastik»				
11 «publik»				
12 «blan»				
13 «oranje»				
14 «bleu»				
15 «bleu marine»				

2 **a)** Au-dessus de chaque adjectif en gras au masculin singulier dans les phrases ci-après, inscrivez le numéro :

- de la règle d'accord qui s'applique (R1 ou R2, *voir la page 167*) ;
- du cas orthographique particulier, s'il y a lieu (C1, C2, C3, *voir la page 168*).

b) Orthographiez et accordez correctement chaque adjectif.

AU BESOIN, suivez les étapes suivantes pour accorder les adjectifs.

☐ S'il y a lieu, rayez les mots qui font écran entre l'adjectif et son ou ses donneurs d'accord.

☐ À l'aide d'une flèche, reliez l'adjectif à son ou à ses donneurs d'accord.

☐ Indiquez le genre (M ou F) et le nombre (S ou P) du ou des donneurs d'accord.

La période du sommeil **1 paradoxal_____** (période pendant laquelle on fait

les **2 fameux_____** rêves dont on se souvient) est caractérisée par des mouvements

3 oculaire_____ **4 rapide_____** et une chute du tonus **5 musculaire_____**.

Flavia est **6 sûr_____** de faire de **7 beau_____** rêves quand ses **8 épais_____**

couvertures **9 émeraude_____** viennent d'être lavées, qu'elles sentent <u>bon</u> et

qu'elles sont **10 sec_____** et **11 soyeux_____**.

Flavia a fait un rêve étrange cette nuit : elle était **12 nu_____** comme un vers

sur la place **13 public_____**, tous les gens qui la regardaient avaient les cheveux

14 vert_____ foncé_____ et ils attendaient qu'elle leur dise une parole

15 secret_____ pour la sortir de cette situation <u>fort</u> embarrassante, mais elle

restait **16 muet_____**.

c) Essayez de remplacer par différents adjectifs les mots *bon* et *fort* soulignés, puis expliquez pourquoi ils ne sont pas au pluriel.

_____

_____

3 Soulignez les adjectifs, puis orthographiez-les et accordez-les correctement.

Attention, erreurs !

Ma petite sœur et celle de Jérôme sont très discret ; elles sont parfois si silencieuse

qu'on ne sait même pas qu'elles se trouvent dans la maison. Cependant, quand on

les questionne sur de nouveau rêves qu'elles ont faits, elles se mettent à raconter

des histoires sans fin farfelue et rigolote , dans lesquelles elles vainquent des dragons

magentas, des sorcières maigrelètes et un peu sotes aux cheveux noirs foncés et

aux yeux bleus-verts phosphorescents. Toutes ces curieuse créatures et ces

personnages hideux sont, bien sûr, fictive, mais nous laissons penser à ma sœur et

à sa meilleur amie que nous y croyons aussi.

L'orthographe du nom

Synthèse des connaissances

Du point de vue du **sens**, le nom peut désigner une **chose**, un **être** animé ou non animé, ou encore un **élément plus abstrait**.

Ex. : *une lampe, un électricien, un arbre, l'électricité*

Le nom **varie** généralement **en nombre** (S ou P) : si ce nom représente une réalité multiple et comptable, il faut choisir la marque de pluriel appropriée (généralement -*s*).

Ex. : *des lampes, des électriciens, des arbres*

Le nom **varie en genre** (M ou F) seulement s'il représente un être animé.

Ex. : *un électricien, une électricienne*

Le nom est le **noyau du GN**. On le reconnaît généralement à ce qu'il est **précédé d'un déterminant**. Cependant, dans un GPrép, le nom est parfois employé sans déterminant.

```
                    GN
      ┌──────────────────────────────┐
      │ dét. +  N  +    GPrép         │
      │            Prép + GN          │
      │                 ┌────┐        │
      │                 │ N  │        │
      │                 └────┘        │
```

Ex : *J'ai consulté* **un** *éclairagiste* **de** *scène* .

Quelques cas orthographiques à surveiller

CAS 1 Le nom employé sans déterminant dans un GPrép

Le nom directement précédé d'une préposition prend la marque du pluriel quand :

- le sens ou l'emploi du nom implique un pluriel ;

  Ex. : *Étudiera-t-elle* en télécommunications , en mathématiques *ou* en droit ?

- la réalité que le nom désigne est logiquement multiple et comptable ;

  Ex. : *Elle se rendra à l'université* en patins à roues alignées *ou* à bicyclette .

- la réalité que le nom désigne est comptable et le mot dont dépend le GPrép appelle un pluriel ;

  Ex. : *La première pile était un* **amoncellement** de disques de zinc et d'argent alternés .

FICHE

▶❚ **REMARQUES**

1. Quelques prépositions comme *entre* appellent un pluriel.

   Ex. : |**Entre** *scientifiques*|, *ils se comprennent!*

2. La préposition *sans* appelle un pluriel si, dans la même phrase, la préposition *avec* appelait aussi un pluriel.

   (avec des images)   (avec une table des matières)

   Ex. : *C'est un livre* |*sans images*| *et* |*sans table des matières*|. ❨❘

CAS 2 Les noms homophones

Certains noms **se prononcent comme des mots d'une autre classe** (ex. : *une scie* et *si*), souvent comme des verbes de même famille (ex. : *des scies* et *ils scient*). Dans certains cas, les mots homophones s'écrivent de la même façon (ex. : *une scie* et *je scie*; *des scies* et *tu scies*); dans d'autres cas, ils s'écrivent différemment.

Apprenez la phrase suivante par cœur et donnez-la en dictée à vos proches.

Ex. : *Si six scies scient six* **cyprès**, *six* **cents** *scies scient six* **cents cyprès.**

Des manipulations comme le remplacement aident à identifier la classe des mots homophones, et la consultation d'un dictionnaire permet d'en vérifier l'orthographe au besoin.

(*enfoncent* = V)   (*maillets* = N)
          nt   s
Ex. : *Ils les scient avec leurs scient.*

⊞ Exercices

1 **a)** Cochez les noms qui s'emploient toujours au pluriel.

1 agissements □ **2** monuments □ **3** décombres □ **4** ombres □ **5** mailles □
6 fiançailles □ **7** mœurs □ **8** cœurs □ **9** obscurités □ **10** ténèbres □

b) Cochez les noms dont le pluriel ne se forme pas selon la règle générale, c'est-à-dire en ajoutant un *s*.

1 gaz □ **2** carnaval □ **3** journal □ **4** cheveu □ **5** gang □ **6** laisser-aller □

2 **a)** Donnez les deux orthographes possibles du pluriel des mots suivants.

1 un aïeul : des _____ ou des _____

2 un après-midi : des _____ ou des _____

3 un sandwich : des _____ ou des _____

b) L'un des noms en **a)** s'écrit différemment au pluriel selon son sens. Quel est ce mot et quels sont ses sens ?

_____

_____

_____

_____

c) L'un des noms en **a)** peut être masculin ou féminin. Quel est ce mot ? _____

3 **a)** Au-dessus de chaque nom en gras ci-dessous, indiquez si, dans le groupe de mots donné, il désigne une réalité comptable (inscrivez *c*) ou non comptable (inscrivez *n c*).

b) S'il y a lieu, mettez les noms comptables au pluriel et accordez l'adjectif qui les complète.

AU BESOIN, consultez un dictionnaire.

1 un nid d'**hirondelle**_____

2 un nid d'**abeille**_____

3 un vendeur de **journal**_____

4 un vendeur d'**eau**_____ de **source**_____

5 écrire en **lettre**_____ majuscule_____

6 éclater en **sanglot**_____

7 voyager en **avion**_____

8 un sculpteur sur **pierre**_____

9 un tailleur de **pierre**_____ précieuse_____

10 la mise en **page**_____ d'un livre

4 **a)** Dans les phrases suivantes, encadrez les GPrép formés d'une préposition et d'un nom sans déterminant, puis soulignez le mot ou les mots dont les GPrép dépendent.

b) Mettez les noms au pluriel dans les GPrép encadrés s'il y a lieu.

> **AU BESOIN,** cherchez le mot que vous avez souligné dans un dictionnaire et prenez en note un exemple qui ressemble à celui du cahier.

Attention, Erreurs !

1 Ce tableau se caractérise par une opposition de couleur .

2 Cette réunion d'élève sera productive .

3 Il s'est confondu en excuse .

4 La télévision est un média de masse .

5 Une cacophonie est un ensemble de son , de bruit ou de mot

peu harmonieux .

---

5 Indiquez à quelle classe de mots appartient chaque mot numéroté.

Ex. : **1** *conjonction*

1 *Si* **2** *six* **3** *scies* **4** *scient* **5** *six* cyprès, six cents scies scient six cents cyprès.

2 _____   **3** _____   **4** _____

5 _____

6 Dans la phrase suivante, choisissez entre les deux formes proposées entre parenthèses, puis composez une phrase avec les mots dont vous n'avez pas choisi la forme.

Salvador a perdu son **1** (*emploie, emploi*) _____ et est sans

2 (*travail, travaille*) _____ depuis deux semaines.

1 _____

2 _____

FICHE

FICHE 3 — L'orthographe de *possible*

⊞ Synthèse des connaissances

Le mot *possible* peut être un nom ou un adjectif.

Le **nom** *possible* est généralement au singulier ; il est alors **précédé d'un déterminant**.

Ex. : *Je ferai* **mon** *possible pour être drôle.*

L'**adjectif** *possible*, comme tout autre adjectif, s'accorde généralement soit avec le nom dont il est le complément dans le GN, soit avec le noyau du GNs s'il a la fonction d'attribut du sujet.

Accordez l'adjectif *possible*.

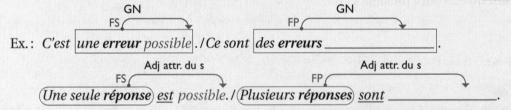

Ex. : C'est [une erreur possible]. / Ce sont [des erreurs _____].

(Une seule réponse) est possible. / (Plusieurs réponses) sont _____.

CAS À SURVEILLER

L'adjectif *possible* **ne s'accorde généralement pas** s'il est employé après une expression de comparaison ou de degré comme *le plus (de), le moins (de), les plus, les moins, les mieux, les meilleurs, les meilleures, les pires, aussi… que,* etc.

Ex. : *Jorge aime être avec* **le plus de** *gens possible, mais il doit être en contact avec des fumeurs* **le moins** *souvent possible.*

▶ **REMARQUE** Si le nom précédé du mot de comparaison ou de degré est introduit par *des*, on fait généralement l'accord au pluriel.

Ex. : *Dans le meilleur* **des** *mondes possibles, aucune maladie n'existerait.* ◀

⊡ Exercice

1 **a)** Dans les phrases suivantes, soulignez les expressions de comparaison ou de degré telles *le plus de, les moins*.

b) S'il y a lieu, mettez l'adjectif *possible* au pluriel et reliez-le à son donneur d'accord.

1 Il y a plusieurs types **possible**___ de diabète.

2 Les diabétiques doivent manger le moins de sucreries **possible**___.

3 Elle a reçu les soins les meilleurs **possible**___.

4 Son coma a fait vivre à ses proches les pires moments **possible**___.

5 Des effets secondaires restent **possible**___.

6 Elle fera le plus d'efforts **possible**___ pour terminer ses études en médecine.

7 Elle travaillera un jour avec les enfants diabétiques, si **possible**___.

8 Elle sait qu'elle aura plusieurs choix de spécialisation **possible**___.

FICHE

L'orthographe de *tel*

Synthèse des connaissances

Tout en lisant, surlignez les éléments essentiels à retenir pour orthographier correctement le mot *tel*.

Le mot *tel* (*tel/telle/tels/telles*) peut être un déterminant ou un adjectif; au singulier, il peut aussi être un pronom (ex.: *Tel est pris qui croyait prendre*).

Le **déterminant** *tel* s'accorde en genre et en nombre avec le nom qu'il introduit dans le GN.

Ex.: *Avant d'ajouter* `telle ou telle **épice**` ᶠˢ *à vos plats, goûtez-les.* / `Tel **père**` ᴹˢ `, tel **fils**` ᴹˢ.

L'**adjectif** *tel*, comme tout autre adjectif, s'accorde généralement soit avec le nom dont il est le complément dans le GN, soit avec le noyau du GNs s'il a la fonction d'attribut du sujet.

GN

Ex.: *Il a* `de telles **habiletés** ᶠᴾ en cuisine qu'il devrait penser à devenir cuisinier`.

Adj attr. du s

(*Ses **habiletés** en cuisine*) ᶠᴾ *sont telles qu'il devrait penser à devenir cuisinier.*

▶ **REMARQUE** Dans l'expression *tel quel*, le mot *quel* s'accorde comme l'adjectif *tel*.

Ex.: *Goûte cette sauce* ᶠˢ *telle quelle, sans y ajouter de sel.* ◀

CAS À SURVEILLER

Lorsque l'**adjectif** *tel* introduit **un ou plusieurs exemples ou une comparaison**, l'accord se fait différemment selon que *tel* est suivi de *que* ou non:

■ *tel* **suivi de *que*** (*qu'*) s'accorde avec le nom ou le pronom qu'il complète et qui le précède généralement;

Ex.: *Ajoutez* `des **herbes** fraîches, telles ᶠᴾ que le basilic, l'estragon ou le persil`, *en fin de cuisson.*

■ *tel* **qui n'est pas suivi de *que*** (*qu'*) s'accorde avec le nom ou le pronom qui le suit.

Ex.: *Elle cuisine tel un vrai **chef**.* ᴹˢ

⊞ Exercices

1 **a)** Dans les phrases suivantes, soulignez les mots en gras qui sont des déterminants et surlignez ceux qui sont des adjectifs.

1 Monsieur Untel avait une **tel**_____ faim qu'il a vidé son assiette en moins de deux.

2 Thérésa choisira **tel**_____ ou **tel**_____ plat principal alors que Hugo choisira

tel_____ ou **tel**_____ entrée ; ils partageront ensuite leur repas.

3 Émilio aimerait que la table reste **tel**_____ qu'il l'a mise pour recevoir ses invités ce soir.

4 La surprise a été **tel**_____ que lui et sa mère ont presque pleuré de joie :

tel_____ mère, **tel**_____ fils !

5 Dans de **tel**_____ circonstances, il faut respecter les gens **tel**_____ qu'ils sont.

b) Reliez les déterminants et les adjectifs *tel* à leur donneur d'accord et accordez-les .

2 **a)** Surlignez les adjectifs *tel* qui servent à introduire une énumération ou une comparaison et surlignez aussi le mot *que* (*qu'*) qui les suit s'il y a lieu.

1 Ces petites filles mangent **tel**_____ des loups affamés.

2 Ces petites filles, **tel**_____ que des loups affamés, ont dévoré leur assiette en

moins d'une minute.

3 Ne touchez pas à ces gâteaux, laissez-les **tel**_____ quels.

4 Ces gâteaux resteront **tel**_____ qu'ils ont été décorés.

5 Les fruits **tel**_____ la pomme, la banane et la poire s'oxydent s'ils sont coupés

et laissés à l'air ambiant.

b) Reliez les adjectifs *tel* à leur donneur d'accord et accordez-les.

3 Dans les phrases suivantes, ajoutez un GN dans l'espace donné, puis reliez l'adjectif *tel* à son donneur d'accord.

1 Ces vedettes, **tels** _____, font leurs courses à pied.

2 Ces vedettes, **telles que** _____, font leurs courses à pied.

FICHE

L'orthographe de *même*

⊡ Synthèse des connaissances

Le mot *même* peut être un adverbe ou un adjectif.

L'**adverbe** *même*, comme les autres adverbes, est invariable. On le reconnaît
généralement à son sens (il peut signifier « aussi », « jusqu'à » ou « y compris ») et
à son fonctionnement (il est souvent déplaçable et supprimable).

Ex. : *Michel Pageau recueille toutes sortes d'animaux blessés, même des loups et des ours.*

L'**adjectif** *même* s'accorde en nombre avec le nom ou le pronom dont il est le complément.

Ex. : *Bien que de couleur différente, ces chiens doivent appartenir à la même race :*
     FS

ils ont les mêmes oreilles, le même museau et la même taille.
     FP   MS   FS

Ce chien est la douceur et la fidélité mêmes.
     FS + FS (= FP)

L'**adjectif** *même* peut servir à former un **pronom de forme complexe** :

- dans un **pronom comme** *moi-même*, *même* s'accorde avec le pronom auquel il est
  joint par trait d'union : *moi / toi / lui / elle-même* ; *nous / vous / eux / elles-mêmes*. Si *nous* ou
  vous représente une seule personne, on écrira *nous-même* et *vous-même*.

  Ex. : *Cher grand-papa, Max et moi avons développé nous-mêmes ces photos, que nous
  considérons fort réussies. Vous en jugerez par vous-même.*

- dans un **pronom comme** *le même*, *même* s'accorde avec le nom qui est sous-entendu.

  Ex. : *J'aime beaucoup ces livres d'animaux, j'ai les mêmes (livres) chez moi.*

⊡ Exercices

1 **a)** Dans les phrases suivantes, soulignez les mots en gras qui sont des adverbes.

> ## AU BESOIN, vérifiez s'ils ont les caractéristiques suivantes.
> ☐ Le mot a le sens de «aussi», «jusqu'à» ou «y compris».
> ☐ Le mot peut être déplacé ou effacé.

b) Surlignez les mots en gras qui sont des adjectifs, reliez-les à leur donneur d'accord, puis accordez-les.

> **1** Ces quatre filles ont les **même**__ goûts, les **même**__ intérêts et le **même**__ humour.
>
> **2** Un matin, elles sont **même**__ arrivées à l'école habillées de la **même**__ façon et
>
> dans les **même**__ couleurs sans s'en être parlé.
>
> **3** Elles pensent **même**__ s'inscrire ensemble au cégep de Saint-Hyacinthe en
>
> médecine vétérinaire et partager le **même**__ appartement.
>
> **4** Elles ont toutes les quatre des animaux à la maison, mais ils ne sont pas
>
> de **même**__ espèce.
>
> **5** L'iguane de Nora et le rat de Mégane ont les **même**__ nom et surnom.
>
> **6** Les quatre amies traînent leurs animaux partout, parfois **même**__ aux activités
>
> parascolaires, avec la permission de l'école.

2 Au-dessus des pronoms en gras dans les phrases suivantes, inscrivez ce qu'ils représentent ou le mot qu'ils sous-entendent, puis accordez le mot *même*.

> **1** Elles ont toutes les quatre des animaux à la maison, mais ce ne sont pas **les même**__.
>
> **2** Soignez-vous **vous-même**__ vos animaux, cher ami ?
>
> **3** Sandu et moi soignons **nous-même**__ nos animaux.
>
> **4** Nous leur avons montré notre trousse de premiers soins et ils ont acheté **la même**__.
>
> **5** Vous avez consulté plusieurs vétérinaires et nous avons parlé **aux même**__.

FICHE 6 — L'orthographe de *quelque*

🔲 Synthèse des connaissances

Tout en lisant, surlignez les éléments essentiels à retenir
pour orthographier correctement le mot *quelque*.

Le mot *quelque* peut être un adverbe ou un déterminant.

L'**adverbe** *quelque*, comme les autres adverbes, est invariable. Il peut généralement être
remplacé par un autre adverbe de sens équivalent : « environ » (parfois « si » ou « aussi »).

(environ)
Ex. : *Il y avait quelque cent personnes à la manifestation.*

Le **déterminant** *quelques* introduit un nom au pluriel (dont il reçoit le nombre) et
exprime une petite quantité imprécise. Il peut être remplacé par le déterminant
plusieurs, qui exprime aussi une quantité imprécise, mais plus grande.

(plusieurs) MP
Ex. : *Raphaël a eu la voix brisée pendant* quelques jours.

Devant un nom au singulier, le **déterminant** *quelque* a le sens de *un/une, certain/certaine*
ou *(un) peu de* et peut être remplacé par l'un de ces déterminants ou par *du, de la, de l'*.
Cet emploi n'est pas très fréquent dans la langue courante ; il s'agit plutôt d'un emploi
littéraire.

(un, un peu de, du) MS (une) FS
Ex. : « *Elle lui présentait* quelque bon **bouillon**, quelque **tranche de gigot**.» (Flaubert)

▶ **REMARQUE** *Quelque* s'emploie couramment dans certaines expressions figées comme
quelque peu, quelque temps, quelque part, quelque chose; dans le pronom *quelqu'un / quelqu'une*;
dans *quelquefois*. ◀

CAS À SURVEILLER

Quel que écrit **en deux mots** est immédiatement suivi d'un <u>verbe attributif</u> comme *être*,
de *pouvoir* ou de *devoir* au subjonctif (un pronom peut précéder le verbe). Dans ce cas,
quel est un adjectif attribut du sujet et **s'accorde avec le noyau du GNs**, qui est placé après
le verbe.

3P FP
Ex. : *Il assume son geste* quelles qu'en <u>soient</u> (les **conséquences**).

⊞ Exercices

1 **a)** Dans les phrases suivantes, soulignez les mots en gras qui sont des adverbes.

> AU BESOIN, assurez-vous qu'ils peuvent être remplacés par l'adverbe « environ », ou par « si » ou « aussi ».

1. À la manifestation, il y aura **quelque**__ vingt de mes amis, dont **quelque**__ élèves de la classe.

2. On nous a répété **quelque**__ dizaines de fois que la manifestation commencerait à midi.

3. **Quelque**__ policiers surveillaient le trajet à **quelque**__ 50 mètres d'intervalles.

4. Nous avons tellement marché que nous avons sûrement perdu **quelque**__ kilogrammes.

5. **Quelque**__ lentement que nous avons marché, nous sommes revenus en sueur.

b) Surlignez les mots en gras qui sont des déterminants et accordez-les.

2 Remplacez les déterminants rayés dans les phrases suivantes par le déterminant *quelque* et accordez-le.

1. ~~Plusieurs~~ _____ joyeux lurons animaient la foule.

2. On vous demande ~~de la~~ _____ patience avant de pouvoir entrer dans la salle ; tout sera prêt dans ~~plusieurs~~ _____ minutes.

3. ~~Plusieurs~~ _____ choix s'offrent à nous et nous avons ~~du~~ _____ mal à prendre une décision.

3 Dans la phrase suivante, remplacez les abréviations par le mot écrit au long.

1. *qqfois* _____, elle aimerait choisir **2** *qqn* _____ et partir avec cette personne **3** *qqpart* _____ où elle n'est jamais allée.

4 Dans les phrases ci-après, ajoutez *quelque* ou *quel que* dans les espaces, puis faites les accords nécessaires.

1. Maude deviendra musicienne _____ soit la réaction de ses parents.

2. Ils ont été _____ peu surpris quand ils ont appris la nouvelle.

3. _____ puissent être leurs attentes, les parents de Maude la laisseront faire ce qu'elle aime.

FICHE

FICHE 7

L'orthographe de *tout*

Synthèse des connaissances

Tout en lisant, surlignez les éléments essentiels à retenir pour orthographier correctement le mot *tout*.

Le mot *tout* peut appartenir à plusieurs classes de mots :

- *tout / toute / tous / toutes* peut être un **déterminant** (ex. : *toute la journée, tous les jours*) ou un **pronom** (ex. : *C'est tout. Je les aime tous.*), ou encore un **adjectif** (ex. : *Pour toute (seule, unique) compagnie, elle avait son chien*) ;

- *tout* peut aussi être un **adverbe**, ainsi que *toute* et *toutes* exceptionnellement (ex. : *Elle aime tout autant les chevaux tout noirs que les juments toutes brunes*) ;

- *tout* peut même être un **nom** : *un tout ; des touts.*

Le **déterminant** *tout* s'accorde en genre et en nombre avec le nom qu'il introduit dans le GN. Il s'emploie souvent devant un autre déterminant comme *le, la, les ; ce, cette, ces ; mon, ma, mes.*

             FS   MS   MP

Ex. : *Toute la journée, tout participant doit débarrasser les rues de tous leurs déchets.*

▶ **REMARQUE** Employé seul pour introduire un nom au singulier, *tout / toute* a le sens de

(n'importe quel)

n'importe quel(le) (ex. *tout participant*). ◀

Le **pronom** *tout* avec antécédent prend le genre et le nombre de son antécédent ou du noyau du GN qu'il remplace dans la phrase.

antécédent MP

Ex. : *Anne Hébert a écrit neuf romans ; Marie les a tous lus, mais ne les a pas tous aimés.*

Tout au masculin singulier peut aussi être un pronom sans antécédent ; dans ce cas, il a le sens de « toute chose ».

Ex. : *Ils parlent de tout et de rien. Un point, c'est tout.*

▶ **REMARQUE** *Tout* est employé dans de nombreuses expressions figées, par exemple *à tout bout de champ, à tout coup, à tout le moins, à tout moment, de tous côtés, de tout temps, en tout temps, tout à coup, tout à l'heure, tout de suite, une fois pour toutes.* ◀

⊞ Exercices

1 **a)** Dans les phrases suivantes, soulignez les mots en gras qui sont des déterminants.

b) Accordez les déterminants.

1 De **tout**___ les poètes, celui que Marie préfère est Gaston Miron.

2 Marie aime lire à **tout**___ heure du jour ou de la nuit.

3 **Tout**___ personne qui la connaît sait que la littérature occupe **tout**__ ses temps libres.

4 Elle voit la vie **tout**___ autrement depuis qu'elle s'est mise à lire **tout**___ ce qui se lit chez elle : **tout**___ les livres, **tout**___ les journaux, **tout**___ les revues ; elle lit même **tout**___ les étiquettes derrière les produits achetés.

2 **a)** S'il y a lieu, soulignez de deux traits l'antécédent des pronoms en gras dans les phrases suivantes et indiquez au-dessus son genre et son nombre.

b) Orthographiez les pronoms avec antécédent selon le genre et le nombre de cet antécédent.

c) Orthographiez les pronoms sans antécédent.

1 Cassandre a dix chats et les a **tout**___ eu à l'âge adulte ; **tout**___ ont été opérés.

2 Elle a écrit plusieurs chansons et presque **tout**___ parlent de ses chats.

3 Un jour, elle a dû panser les quatre pattes d'une chatte errante, **tout**___ aussi

blessées les unes que les autres ; cette chatte est maintenant guérie : **tout**___ est

bien qui finit bien.

3 **a)** Parmi les mots en gras dans les phrases suivantes, soulignez les déterminants et surlignez les pronoms.

b) Corrigez l'orthographe des mots en gras au besoin.

Attention, ⊝rreurs !

1 **Tous** les fins de semaine, Laure et Benoît louent trois films ou trois documentaires

et les écoutent **toutes** la même soirée, après **toute**, c'est leur choix.

2 Ils sont **toutes** allés au cinéma et ont dépensé **tout** leurs économies de la semaine.

FICHE **8**

Le choix de la préposition

🔲 Synthèse des connaissances

Tout en lisant, surlignez les éléments essentiels à retenir pour
savoir comment choisir et orthographier une préposition.

La préposition peut exprimer différents rapports de sens, par exemple le **lieu** (ex. : *à, de,
sur, en, dans, chez, entre, parmi, près de, loin de, à côté de, jusqu'à, au-dessus de*) ; le **temps**
(ex. : *à, de, en, après, avant, pendant, durant, dès, depuis, avant de*) ; le **but** (ex. : *pour,
afin de*) ; la **cause** (ex. : *à cause de, en raison de*) ; la **comparaison** (ex. : *comme, à l'instar de*) ;
la **négation** ou la **privation** (ex. : *sans, sauf*) ; l'**accompagnement** (ex. : *avec*) ; la **matière**
(ex. : *de, en*).

La préposition peut aussi être **vide de sens** (ex. : *à, de* : *il s'intéresse à l'humour ; il a peur
de la foudre.*)

▶ REMARQUE Les **déterminants contractés** *au/aux* et *du/des* incluent les prépositions *à* et *de*.

Ex. :   *au* = à + le   *du* = de + le
      aux = à + les   *des* = de + les ◀

Placée au début du GPrép, la préposition sert généralement à relier les mots qui la suivent
dans le GPrép à un autre mot dans la phrase.

                                GPrép
Ex. : *Jacques Prévert **plaît** ⎡à **tout le monde**⎤*.

Le GPrép dépend généralement d'un mot qui le précède dans la phrase et c'est souvent
ce mot qui détermine l'emploi d'une préposition en particulier. Les dictionnaires indiquent
généralement quelle préposition employer à la suite d'un verbe, d'un nom ou d'un adjectif
selon son sens et son emploi en contexte.

             (HEUREUX **de**…)   (PLAIRE **à**…)
Ex. : *L'enseignante est **heureuse** de savoir que Jacques Prévert **plaît** à ses élèves.*

▶ REMARQUE Les prépositions *à* (*au/aux*), *de* (*du/des*) et *en* doivent être répétées au début des GPrép
juxtaposés ou coordonnés.

Ex. :   *Ce poète a su plaire ⎡aux enfants⎤ et ⎡aux adultes⎤ ⎡grâce à son humour⎤, ⎡~~grâce~~ à sa sensibilité⎤ et
⎡~~grâce~~ à son talent⎤.* ◀

Exercices

1 Choisissez, entre les prépositions proposées entre parenthèses, celle qui convient selon le sens de chacune des phrases suivantes et transcrivez cette préposition.

AU BESOIN, consultez un dictionnaire.

Jacob a grimpé **1** (*dans, sur*) _____ sa bicyclette et est allé rejoindre les autres enfants du voisinage qui jouent au hockey **2** (*sur, dans*) _____ la rue.

Le père de Jacob travaille **3** (*sur, dans*) _____ une usine où l'on fabrique des moteurs d'avions, mais Jacob n'est jamais monté **4** (*sur, dans*) _____ un avion.

Jacob doit aller **5** (*chez, sur*) _____ le médecin une fois par mois.

2 **a)** Dans chacune des phrases suivantes, choisissez, selon vos intuitions, la préposition ou le déterminant contracté qui semble convenir.

b) Vérifiez chaque réponse en cherchant dans un dictionnaire le mot en gras dont le GPrép dépend, puis corrigez-la au besoin.

Le sentier derrière la maison **aboutit** **1** _____ une clairière toute fleurie.

Tim **s'est disputé** **2** _____ son frère et il est en **colère** **3** _____ lui.

L'été, mes voisins **s'occupent** **4** _____ jardiner presque tous les jours.

Je **m'occupe** **5** _____ enfants de ma grande sœur, qui travaille tout l'été.

Ils **se sont habitués** **6** _____ leur nouvelle école.

Ils ont l'**habitude** **7** _____ aller à l'école à pied et sont **heureux** **8** _____ le faire.

Lyne a pris **connaissance** **9** _____ cours qui sont offerts par sa municipalité.

Elle a fait **connaissance** **10** _____ son nouveau professeur de ringuette.

3 Dans les phrases suivantes, répétez, s'il y a lieu, la préposition au début des GPrép juxtaposés ou coordonnés encadrés.

1 Ils ont communiqué leurs commentaires et leurs suggestions | à leur enseignant | et | _____ leur directeur |.

2 Ils espèrent qu'on tiendra compte | de leurs commentaires | et | _____ leurs suggestions |.

3 | En raison de leur sens du compromis | et | _____ leur diplomatie |, les élèves ont eu la permission de réaliser leur projet.

4 | En 1946 |, | _____ 1951 | et | _____ 1955 |, Jacques Prévert a publié un recueil de poèmes.

5 Jacques Prévert a réussi | à rendre la poésie accessible à tous | et | _____ la faire aimer davantage |.

© 2002, Les Éditions CEC inc. • **Reproduction interdite**

FICHE 8   187

FICHE

L'emploi du mode dans les subordonnées

🔲 Synthèse des connaissances

Tout en lisant, surlignez les éléments essentiels à retenir
pour savoir quand employer le mode subjonctif.

Le mode du verbe dans la subordonnée relative

Le **mode indicatif** est le plus souvent employé dans la relative.

Ex. : *Je te présenterai Mira,* [*qui peut / pourra / pourrait t'aider à préparer ta compétition*].

Le **mode subjonctif** peut être employé dans une relative si ce qui y est dit est considéré comme une possibilité seulement et non comme une réalité certaine. C'est le cas, par exemple, dans certaines relatives :

- qui sont précédées d'un terme de **comparaison** ou de **restriction** comme *le plus, le moins, le meilleur, le mieux, le seul, l'unique* ;

    Ex. : *C'est **la seule** personne* [*qui puisse t'aider*].

- qui sont insérées dans une phrase **négative** ou **interrogative** ;

    Ex. : *Je **ne** connais **personne*** [*qui puisse t'aider*].
    *Connais-**tu** quelqu'un* [*qui puisse m'aider*] **?**

Le mode du verbe dans la subordonnée complétive

Le **mode subjonctif** est employé dans la **complétive en** *que* (*à ce que, de ce que*) :

- qui est complément d'un mot exprimant (parfois avec la négation) une **volonté**, une **attente**, un **doute**, un **sentiment** ;

    Ex. : *Je **veux** / **souhaite** / **doute** / **crains** / suis **heureuse*** [*qu'elle me permette de l'aider*].

- qui est insérée dans une **phrase impersonnelle** comme complément d'un mot exprimant une **possibilité**, une **impossibilité**, un **jugement**, une **nécessité** ;

    Ex. : *Il est **probable** / **possible** / **impossible** / **insensé** / **essentiel*** [*qu'elle me permette de l'aider*].

- qui est **sujet**.

    Ex. : [*Qu'elle me permette de l'aider*] *serait important*.

▶ **REMARQUE** Dans les dictionnaires, à l'entrée du mot dont la subordonnée dépend (ex. : *souhaiter, possible*), on indique généralement si le mode subjonctif est obligatoire après le *que*. ◀

Le **mode indicatif** est employé dans la **complétive en** *que* dans les autres contextes que ceux énumérés précédemment ainsi que dans la **complétive interrogative** ou la **complétive exclamative**.

Ex.: *Je **crois** / **pense** / **sais** / **suis convaincue*** [*qu'elle me* permettra *de l'aider*].
     Je ne sais pas [**si** / **quand** *elle me* permettra *de l'aider*].

Le mode du verbe dans la subordonnée circonstancielle

Le **mode subjonctif** est employé dans la circonstancielle:

- de **temps** commençant par *avant que, jusqu'à ce que, d'ici (à ce) que* ou *en attendant que* (subordonnants dits *d'antériorité*);

  Ex.: *Il faut l'aider* [**avant qu'il** (ne) soit **trop tard**].

- de **but**;

  Ex.: *Il faut l'encourager* [**pour qu'elle** prenne **confiance en elle**].

- de **conséquence** commençant par **pour que** et en lien avec un mot de degré ou d'intensité.

  Ex.: *On l'a **suffisamment** encouragée* [**pour qu'elle** ait **confiance en elle**].

Le **mode indicatif** est employé dans la subordonnée circonstancielle:

- de **temps** commençant par les subordonnants *quand, lorsque, après que*, etc. (subordonnants dits *de simultanéité* ou *de postériorité*);

  Ex.: [**Après qu'elle** a terminé **son entraînement**], *les jambes lui font très mal.*

- de **comparaison**, de **cause** et de **conséquence**, sauf quand elle commence par *pour que*;

  Ex.: *On l'a **assez** encouragée* [**qu'elle** a maintenant **confiance en elle**].

▶ **REMARQUE** De manière générale, le **mode subjonctif** s'emploie quand on ne considère pas le fait énoncé comme certain ou réel, mais comme possible, éventuel, plus ou moins probable. Néanmoins, dans certains cas, son emploi est exigé par le mot dont la subordonnée dépend ou par le subordonnant. ◀

⊞ Exercices

1   **a)** Mettez le verbe de la subordonnée relative entre crochets au mode et au temps indiqués.

    1 Le comédien [qui la (*faire*, indicatif présent) _____ rire le plus] est Rowan Atkinson, dit *Mister Bean*.

    2 La seule personne [qui la (*faire*, subjonctif présent) _____ rire autant que *Mister Bean*] est son petit ami. ☐ A ☐ B

    3 Connais-tu quelqu'un [qui (*être*, subjonctif présent) _____ aussi drôle que *Mister Bean*]? ☐ A ☐ B

4 L'un des meilleurs films [qu'elle (*voir*, subjonctif passé) _____] est celui de *Mister Bean.* ☐ A ☐ B

5 Je connais tous les films [qu'elle (*voir*, indicatif passé composé) _____].

b) Pour chaque verbe au subjonctif dans les subordonnées en **a)**, cochez la raison pour laquelle il peut être à ce mode.

A Parce que ce qui y est dit est considéré comme une possibilité seulement et que la relative est précédée d'un terme de comparaison ou de restriction comme *le plus, le moins, le meilleur, le mieux, le seul.*

B Parce que ce qui y est dit est considéré comme une possibilité seulement et que la relative est insérée dans une phrase négative ou interrogative.

2 Dans les phrases ci-après, choisissez le verbe au mode qui convient dans la subordonnée complétive entre crochets et transcrivez-le.

> **AU BESOIN,** suivez les étapes suivantes pour vérifier l'emploi du mode subjonctif dans la subordonnée complétive.
>
> ☐ Encerclez la complétive qui a la fonction de sujet et assurez-vous que son verbe est au mode subjonctif.
>
> ☐ Soulignez le mot dont dépend la subordonnée en *que* et le verbe impersonnel qui la précède s'il y a lieu, puis vérifiez si le sens du mot dont elle dépend commande un subjonctif (ex. : volonté, attente, sentiment, possibilité). Au besoin, cherchez ce mot dans un dictionnaire.

1 [Que tu (*veux, veuilles*) _____ m'accompagner au spectacle] me fait grand plaisir.

2 Je sais [que tu (*viens, viennes*) _____ non seulement pour me faire plaisir, mais parce que tu aimes les spectacles d'humour].

3 Je tiens [à ce que tu (*es, sois*) _____ heureuse].

4 Il faut [que tu (*saches, sais*) _____ [combien ta réponse m'(*a fait, ait fait*) _____ plaisir]].

5 Chère amie, [que tes parents (*puissent, peuvent*) _____ venir te chercher chez moi après la représentation] fera bien plaisir aux miens.

3 **a)** Dans les phrases ci-après, choisissez le verbe au mode qui convient dans la subordonnée circonstancielle entre crochets et transcrivez-le.

> **AU BESOIN,** suivez les étapes suivantes pour vérifier l'emploi du mode subjonctif dans la subordonnée circonstancielle.
>
> ☐ Encadrez les subordonnants de temps dits *d'antériorité*, comme *avant que.*
>
> ☐ Encadrez les subordonnants de but ainsi que le subordonnant *pour que* placé au début d'une circonstancielle de conséquence.
>
> ☐ Assurez-vous que les verbes qui suivent les subordonnants encadrés sont au subjonctif et que les autres sont à l'indicatif.

1 [Après que je t'(*ai envoyé, aie envoyé*) _____ mon message], ma mère m'a dit qu'elle pourrait aller te chercher en finissant de travailler.

2 J'aimerais que tu me <u>répondes</u> [avant que ma mère ne (*part, parte*) _____], [pour que je (*peux, puisse*) _____ lui donner ton adresse].

3 Donne suffisamment d'indications à ma mère [pour qu'elle ne se (*perde, perd*) _____ pas].

4 La dernière fois que ma mère est allée chercher un de mes amis chez lui, elle avait peu d'indications [de sorte qu'elle (*se soit perdue, s'est perdue*) _____].

5 Tu serais gentille de regarder à la fenêtre [jusqu'à ce qu'elle (*est, soit*) _____ devant chez toi].

b) Dans la phrase **2**, pourquoi le verbe souligné est-il au mode subjonctif?

_____

_____

4 **a)** Mettez les subordonnées relatives, complétives et circonstancielles entre crochets et soulignez le verbe noyau du GV dans chacune d'elles.

b) Vérifiez le mode du verbe employé dans les subordonnées que vous avez mises entre crochets et faites les corrections qui s'imposent.

Attention, (e)rreurs !

1 Je crains que tu n'as pas aimé le spectacle autant que je l'aie aimé ; je crois que c'était le meilleur spectacle que j'aie vu .

2 Que ce comédien est aussi en forme à son âge m'étonnera toujours .

3 Il est possible que je reçois d'autres billets de spectacle ; si tu veux m'accompagner à nouveau , il faut que tu m'avertis à l'avance pour que je puisse réserver le bon nombre de billets .

FICHE 10

L'emploi de la virgule et du deux-points

Synthèse des connaissances

Tout en lisant, surlignez les éléments essentiels à retenir pour bien employer la virgule et le deux-points.

Quelques emplois de la virgule

La virgule liée à la juxtaposition et à la coordination

La virgule s'emploie :

- pour **juxtaposer des éléments semblables** (phrases syntaxiques, mots de même <u>classe</u>, éléments de même <u>fonction</u>) ;

  Ex. : *Les conséquences physiques les plus communes de la paralysie cérébrale sont*

  GN attr. du s   GN attr. du s

  la difficulté de contrôle musculaire , le manque de coordination et les problèmes

  GPrép compl. du N GPrép compl. du N

  d'élocution , de vision ou d'audition.

- **devant un <u>coordonnant</u>** autre que *et, ou, ni*.

  Ex. : *La paralysie cérébrale est un handicap, mais elle n'est pas une maladie.*

  ▶ **REMARQUE** Devant *et, ou* et *ni*, on ne doit généralement pas employer la virgule, sauf dans des contextes particuliers (*voir une grammaire*).

  Ex. : *Elle n'a ni faim ni soif.*

  Plus de deux éléments coordonnés
  Elle n'a ni faim , ni soif , ni chaud , ni froid. ◀

La virgule liée au détachement d'un élément dans la phrase

Voici les principaux éléments qui sont détachés par la virgule :

- un groupe de mots ou une subordonnée ayant la fonction de **<u>complément de phrase</u>** placé au début d'une phrase ou ailleurs qu'à la fin de la phrase ;

  Ex. : *Lors d'un accouchement , il arrive qu'un enfant manque d'oxygène au cerveau.*

- un groupe de mots ou une subordonnée ayant la fonction de **complément du nom ou du pronom** et apportant une **information facultative** (par exemple une information non essentielle à valeur explicative) ;

  Ex. : *La paralysie cérébrale,* $\boxed{\textit{qui n'est pas une maladie}}$ *, est le plus souvent causée par un manque d'oxygène au cerveau à la naissance.*

- un élément sans fonction syntaxique qui peut souvent être déplacé ou supprimé, par exemple une **apostrophe**, une **phrase incise**, un **organisateur textuel** ;

  Ex. : *« La paralysie,* $\boxed{\textit{affirme Rémy Mailloux}}$ *, m'a permis de constater qu'il y a du monde qui a besoin des autres pour survivre. »*

- un **groupe de mots mis en relief** à l'aide de la reprise ou de l'annonce par un **pronom** dans une phrase emphatique.

  Ex. : *Les personnes atteintes de paralysie cérébrale **les** possèdent **toutes**,* $\boxed{\textit{leurs capacités intellectuelles}}$ *.*

> ▶ **REMARQUE** Si l'élément détaché est au début de la phrase, il est **suivi d'une virgule** ; s'il est à la fin de la phrase, il est **précédé d'une virgule** ; et, s'il est ailleurs qu'au début ou qu'à la fin de la phrase, il est **encadré de deux virgules**. ◀

> ▶ **ATTENTION !** La **virgule** est **interdite** :

- pour séparer le GNs et le GV qui se suivent immédiatement ;

           GNs   GV
  Ex. : $\boxed{\textit{La paralysie cérébrale}}$ ⌿ $\boxed{\textit{est un handicap}}$ *, mais elle n'est pas une maladie.*

- pour séparer un mot de ce qui le suit obligatoirement ;

                            V   expansion du V *est*
  Ex. : *La paralysie cérébrale est un handicap, mais elle n'**est** pas* ⌿ $\boxed{\textit{une maladie}}$ *.*

- pour séparer deux expansions du verbe qui n'ont pas la même fonction.

               compl. dir. du V *aident*   compl. indir. du V *aident*
  Ex. : *Certaines thérapies aident* $\boxed{\textit{les handicapés}}$ ⌿ $\boxed{\textit{à améliorer leur motricité}}$ *.* ◀

Quelques emplois du deux-points

Le deux-points s'emploie :

- pour introduire une **citation**, une **parole rapportée directement**, après un verbe introducteur notamment (*voir l'unité 7*) ;

  Ex. : *Rémy Mailloux a dit : « La paralysie m'a permis de constater qu'il y a du monde qui a besoin des autres pour survivre. »*

- pour introduire une **énumération** à la suite de mots qui annoncent cette énumération.

  Ex. : *Les conséquences physiques les plus communes de la paralysie cérébrale sont **les suivantes** : la difficulté de contrôle musculaire, le manque de coordination et les problèmes d'élocution, de vision ou d'audition.*

Le deux-points s'emploie aussi pour **juxtaposer** une phrase à une autre phrase en précisant que la seconde phrase est :

- soit une **explication** de la première (explication par une précision, une cause ou une illustration) ;

    Ex. : *Prendre un médicament non prescrit pendant la grossesse peut être très*
    (en effet)
    dangereux : cela peut causer des dommages au cerveau du fœtus.

    ▶ REMARQUE Le deux-points peut alors souvent être remplacé par un marqueur de relation annonçant aussi une explication, comme *en effet, c'est-à-dire (que), car.* ◀

- soit la **conclusion**, la **synthèse** ou la **conséquence** de ce qui précède.

    Ex. : *Certains mouvements comme marcher, prendre un objet, porter des aliments à sa bouche peuvent être difficiles à contrôler pour certaines personnes atteintes de*
    (bref)
    paralysie cérébrale : celle-ci affecte les activités quotidiennes de la personne atteinte et de ses proches.

    ▶ REMARQUE Le deux-points peut alors souvent être remplacé par un marqueur de relation annonçant aussi une conclusion, une synthèse ou une conséquence, comme *bref, en d'autres termes, c'est pourquoi, par conséquent.* ◀

⊞ Exercices

1 **a)** Soulignez les trois éléments qui sont détachés à l'aide de la virgule dans les phrases suivantes.

> AU BESOIN, assurez-vous que les éléments détachés peuvent être supprimés ou déplacés.

Cadet d'une famille de onze enfants établie à Beaucanton, il naît d'abord atteint

de paralysie cérébrale. Un an et demi plus tard, il perd ses parents, morts dans un

accident d'auto.

Renée Nolet, « Rémy Mailloux. Acrobate de la vie »,
Convergences, vol. 4, n° 2, décembre 2001, page 10.

b) Au-dessus des éléments que vous avez soulignés en **a)**, indiquez s'ils ont la fonction de complément de phrase, de complément du nom ou du pronom.

2 **a)** Dans la phrase ci-après:

- soulignez les mots mis en apostrophe (les mots qui servent à interpeller quelqu'un);

- soulignez d'un trait ondulé la phrase incise.

  «J'admire énormément votre optimisme cher Rémy et l'ardeur avec laquelle vous

  semblez accomplir tout ce que vous entreprenez» lui dirais-je si je le rencontrais.

b) Détachez à l'aide de la virgule les deux éléments que vous avez repérés en **a)**.

3 Dans l'extrait de texte ci-dessous, deux deux-points et une virgule ont été supprimés:

- soulignez le verbe introducteur qui annonce les paroles rapportées et rétablissez le premier deux-points supprimé;

- surlignez les mots qui annoncent une énumération et rétablissez le second deux-points supprimé;

- rétablissez la virgule qui doit séparer les éléments de l'énumération.

  Président d'honneur de la campagne de financement 2000, Roger Gauthier
  déclare «Rémy dépense avec parcimonie afin de s'assurer que jamais deux cents
  soient mal dépensés. Il est efficace à la fois dans la collecte de fonds et
  dans les dépenses. Son rendement exceptionnel s'explique par une combinaison
  d'éléments la mobilisation remarquable des ressources bénévoles l'efficacité
  de gestion et la qualité des services offerts.»

  Adapté de Renée Nolet, «Rémy Mailloux. Acrobate de la vie»,
  Convergences, vol. 4, n° 2, décembre 2001, page 13.

4 **a)** Dans les phrases ci-après, ajoutez une virgule ou un deux-points dans chacune des cases.

b) Au-dessus de chaque deux-points employé, inscrivez un marqueur de relation qui précise son sens: *en effet, c'est-à-dire (que), car, bref, en d'autres termes, c'est pourquoi, par conséquent.*

  L'équipe de la *Ressource*, l'organisme d'aide et de services pour personnes

  handicapées dont Rémy Mailloux est le coordonnateur régional **1** ☐ travaille selon

  un plan pyramidal **2** ☐ chaque secteur a son coordonnateur qui **3** ☐ dans chaque

  municipalité **4** ☐ s'adjoint un responsable ayant le mandat de recruter des bénévoles.

  La paralysie cérébrale n'affecte que les capacités physiques de la personne

  atteinte **5** ☐ celle-ci possède les mêmes capacités intellectuelles qu'une personne

  qui n'a pas ce handicap.

La paralysie cérébrale est non progressive **6** ☐ le nombre de cellules du cerveau qui ont été détruites par cette paralysie ne va pas en augmentant.

Les conséquences physiques de la paralysie cérébrale varient **7** ☐ entre autres **8** ☐ selon l'endroit du cerveau où les cellules ont été détruites. Ainsi **9** ☐ une personne atteinte de paralysie cérébrale peut être très fonctionnelle **10** ☐ elle peut marcher **11** ☐ se nourrir **12** ☐ écrire et même conduire une voiture, alors qu'une autre sera en fauteuil roulant et ne sera pas autonome.

5 Donnez la raison pour laquelle on ne peut pas mettre de virgule où il y a les flèches dans les phrases suivantes. N'inscrivez que la lettre correspondant à la raison.

A Pour ne pas séparer le GNs et le GV qui se suivent.

B Pour ne pas séparer un mot de ce qui le suit obligatoirement.

C Pour ne pas séparer deux expansions du verbe qui n'ont pas la même fonction.

1 La paralysie cérébrale ne se guérit pas encore, cependant on peut en réduire les effets par des soins appropriés.

2 On peut proposer plusieurs thérapies aux personnes atteintes de paralysie cérébrale afin que leurs capacités physiques s'améliorent.

Glossaire

A

Adjectif

Les mots de cette **classe de mots** sont variables en nombre et généralement en genre
(ex. : *pulmonaire*/*pulmonaires*; *noir*/*noirs*/*noire*/*noires*).

Dans une phrase, l'adjectif :

- dépend d'un <u>nom</u> ou d'un <u>pronom</u> dans un GN (où il est généralement supprimable),
  ou bien il dépend d'un <u>verbe attributif</u> dans un GV (où il est non supprimable) ;

      Ex. : *Ces skieuses professionnelles* *sont fort disciplinées*.

- est un <u>receveur d'accord</u>.

      Ex. : *Ces skieuses professionnelles sont fort disciplinées.*

Adverbe

Les mots de cette **classe de mots** sont invariables (ex. : *partout, ensemble, bien, vite,
énormément, beaucoup, très, ne… pas, cependant, puis, ensuite, donc*). L'adverbe peut exprimer
différents rapports de sens, dont le lieu, le temps, la manière, l'intensité, la négation.

Dans une phrase, l'adverbe dépend généralement d'un verbe dans un GV, d'un <u>adjectif</u>
dans un GAdj ou encore d'un autre <u>adverbe</u> dans un GAdv. Dans ces cas, il est
supprimable et a la fonction de <u>modificateur</u>.

            GV
         V
Ex. : *Ces skieuses* *ne sont pas disciplinées*.

Certains adverbes (ex. : *puis, ensuite, donc*) peuvent avoir la fonction de <u>coordonnant</u>.

Ex. : *Les skieuses se sont entraînées, puis elles se sont inscrites à la compétition.*

Antécédent

Mot ou ensemble de mots auquel un <u>pronom</u> fait référence.

               antécédent   Pron
Ex. : *J'ai rencontré ces skieuses. Elles sont disciplinées.*

Attribut du sujet

Cette **fonction** est le plus souvent occupée par un GAdj ou un GN (ce peut être le pronom *le* / *l'*).

L'attribut du sujet dépend d'un **verbe attributif** comme *être*. Il est généralement placé après ce verbe (par lequel il attribue une caractéristique au **sujet**).

Ex.:
                      V attr.   attr. du s
Ces skieuses sont | très disciplinées | cette année.

Il est non supprimable et est remplaçable par un adjectif (ex.: *beau* / *beaux* / *belle* / *belles*) et parfois par le pronom le (*l'*).

→ *Ces skieuses sont | belles | cette année.*

→ *Ces skieuses | le | sont cette année.*

Auxiliaires *avoir* et *être*

Verbes qui servent à conjuguer un verbe à un temps composé. *Être* et *avoir* sont alors suivis du **participe passé** du verbe.

                   V récompenser   V finir
Ex.: *Le jury a récompensé ces athlètes même si les compétitions ne sont pas finies.*

C

Classes de mots

Grandes catégories selon lesquelles les mots de la langue sont regroupés: le **déterminant** (Dét), le **nom** (N), le **pronom** (Pron), le **verbe** (V), l'**adjectif** (Adj), l'**adverbe** (Adv), la **préposition** (Prép) et la **conjonction** (Conj).

      Pron Conj Dét   Adj   N   V   Adv   Prép   V   Dét   N
Ex.: *Elles et leur excellente monitrice ont travaillé assidûment pour préparer la compétition.*

▶ REMARQUE Certaines classes de mots se subdivisent en sous-catégories. Par exemple, le verbe *ont travaillé* ci-dessus est formé de deux sous-catégories de mots: l'**auxiliaire** et le **participe passé**. ◀

La plupart des mots n'appartiennent qu'à une seule classe de mots (ex.: *excellent* est toujours un adjectif). Cependant, certains mots peuvent appartenir à plus d'une classe (ex.: *leur* est parfois un déterminant, parfois un pronom).

Complément de phrase

Cette **fonction** est le plus souvent occupée par un GPrép, un GN, un GAdv ou une subordonnée circonstancielle (lesquels expriment souvent un temps, un lieu, un but, une cause).

Le complément de phrase dépend du regroupement GNs + GV. La place de base de ce complément est en fin de phrase, mais il peut être placé en début de phrase, entre le GNs et le GV ou encore à l'intérieur du GV.

                                compl. de P (ou Gcompl. P)
Ex. : *J'ai rencontré ces skieuses* $\boxed{ce\ matin}$.

- Il est supprimable et déplaçable et n'est pas remplaçable par un **pronom** (sauf par *y* s'il désigne un lieu).

  → $\boxed{Ce\ matin}$, *j'ai rencontré ces skieuses.*

- Il peut être employé après la tournure *et cela...* ou *et cela se passe...*

  → *J'ai rencontré ces skieuses*, ***et cela*** $\boxed{ce\ matin}$.

Complément direct du verbe

Cette **fonction** est le plus souvent occupée par un GN (ce peut être les pronoms *le / l', la / l', les; cela; que / qu'*).

Le complément direct du verbe dépend d'un verbe non attributif. Il est placé après ce verbe, parfois avant, notamment s'il s'agit des pronoms *le, la, les* et *que*.

      V non attr.   compl. dir. du V   compl. dir. du V V non attr.
Ex. : *J'ai rencontré* $\boxed{ces\ skieuses}$ *ce matin. Je* $\boxed{les}$ *ai rencontrées ce matin.*

- Il est remplaçable après le verbe par *quelqu'un* (QQN) ou *quelque chose* (QQCH.) ou par *cela.*

  → *J'ai rencontré* $\boxed{QQN}$ *ce matin.*

- Il constitue la réponse à la question *Qui est-ce **que*** (+ GNs + V) ...? (*Qui ?*) ou *Qu'est-ce **que*** (+ GNs + V)...? (*Quoi ?*).

  Ex. : *Qui est-ce **que** j'ai rencontré ?* Réponse : *Ces skieuses.*

Complément du nom ou du pronom

Cette **fonction** est le plus souvent occupée par un GAdj, un GPrép, un GN ou une subordonnée relative.

Le complément du nom ou du pronom dépend d'un **nom** ou d'un **pronom**. Il est placé après ce nom ou ce pronom, parfois avant (sauf s'il s'agit d'un GPrép). Il est généralement supprimable.

      Pron   compl. du Pron   N   compl. du N
Ex. : *Certains* $\boxed{de\ mes\ amis}$ *rencontreront ces skieuses* $\boxed{professionnelles}$.

Complément indirect du verbe

Cette **fonction** est le plus souvent occupée par un GPrép ou par un pronom comme *lui, leur, en, y*.

Le complément indirect du verbe dépend d'un verbe non attributif. Il est placé après ce verbe, parfois avant, notamment s'il s'agit des pronoms *lui, leur, en* et *y* ou d'un pronom relatif.

V   compl. indir.   compl. indir.   V

non attr.   du V   du V   non attr.

Ex.: *J'ai parlé* à ces skieuses *ce matin. Je* leur *ai parlé ce matin.*

- Il est remplaçable après le verbe par une **préposition** (ex.: *à, de, en*) + *quelqu'un* (QQN) ou par une préposition + *quelque chose* (QQCH.), ou encore par *quelque part* (QQPART).

   → *J'ai parlé* à QQN .

- Il constitue la réponse à la question *Prép* + *qui est-ce **que*** ou *Prép* + *qu'est-ce **que**…?* (ex.: *À qui…? De quoi…?*).

   Ex.: *À **qui** est-ce **que** j'ai parlé?* Réponse: *À ces skieuses.*

Conjonction

Les mots de cette **classe de mots** sont invariables (ex.: *quand, que, pour que, comme, si, mais, ou, et, car, ni*).

Certaines conjonctions (ex.: *quand, que, pour que*) servent à joindre une phrase (appelée *subordonnée* circonstancielle ou *complétive*) à un mot ou au reste de la phrase. Ces conjonctions ont la fonction de **subordonnant**.

phrase subordonnée

Ex.: *Je suis convaincu* que ces athlètes seront parmi les premières .

D'autres conjonctions servent à joindre deux éléments semblables (ex.: *et, ou, ni, car*). Elles ont la fonction de **coordonnant**.

élément coordonné   élément coordonné

Ex.: *Je suis convaincu* que ces athlètes seront parmi les premières *et* qu'elles gagneront une médaille .

Coordonnant

Cette **fonction** est occupée par une **conjonction** (ex.: *mais, ou, et, car, ni, or*) ou par un **adverbe** (ex.: *puis, ensuite, donc*).

Le coordonnant joint deux éléments semblables (des phrases non subordonnées, ou des phrases subordonnées et des groupes de même fonction).

phrase coordonnée   phrase coordonnée

Ex.: Je suis convaincu qu'elles seront parmi les premières , *car* elles sont très bien entraînées .

subordonnée coordonnée compl. de l'Adj   subordonnée coordonnée compl. de l'Adj

Je suis convaincu qu'elles seront parmi les premières *et* qu'elles gagneront une médaille .

Déterminant

Les mots de cette **classe de mots** sont généralement variables en genre et en nombre
(ex.: *mon/ma/mes*).

Dans une phrase, le déterminant:

- introduit un **nom** et est non supprimable;

               N   N

  Ex.: *J'ai beaucoup d'admiration pour cette skieuse.*

- est un **receveur d'accord**.

  FS   FP

  Ex.: *Cette skieuse est admirable pour différentes raisons.*

Les **déterminants contractés** *au/aux* et *du/des* comprennent les **prépositions** *à* et *de*.

Donneur d'accord

Nom ou pronom qui donne à son ou à ses **receveurs d'accord**:

- son genre et son nombre (MS, MP, FS ou FP);

  FP

  Ex.: *Ces skieuses professionnelles semblent disciplinées.*

- sa personne et son nombre (1S, 2S, 3S, 1P, 2P ou 3P).

  3P

  Ex.: *Elles semblent disciplinées.*

Expansion

Mot, groupe de mots ou **subordonnée** qui dépend du mot noyau d'un groupe de mots.
L'expansion se trouve le plus souvent à la suite du noyau.

GN

noyau	expansion

Ex.: *Voilà* | *des skieuses disciplinées* |.

GV

expansion	noyau	expansion

Ces skieuses | *nous accorderont une entrevue* |.

Fonction

La fonction décrit généralement la relation qu'a un mot, un groupe de mots ou une <u>subordonnée</u> avec un autre élément de la phrase. Par exemple, pour décrire la relation qu'un groupe de mots a avec un verbe, on peut faire appel aux fonctions de complément direct du verbe, de complément indirect du verbe ou de modificateur du verbe.

                    compl. dir. du V modif. du V   compl. indir. du V
Ex. :   *La monitrice* `les` `a` `chaudement` *félicitées* `de leur performance`.

Les principales fonctions sont les suivantes : **sujet** du verbe (ou de la phrase), **complément** (du nom, du pronom, de l'adjectif, direct ou indirect du verbe, de phrase, etc.), **modificateur** (du verbe, de l'adjectif, de l'adverbe), **attribut** du sujet.

Langue familière

Registre de langue privilégié dans les situations où l'on n'a pas à « surveiller » son langage, dans les conversations détendues, entre proches, par exemple. (À la différence du français familier, le français populaire s'éloigne du français parlé ou écrit compris dans toute la francophonie.)

Langue standard

Registre de langue qui peut être compris par l'ensemble des locuteurs du français et qui correspond à la norme établie par les grammairiens. À l'oral, on l'emploie surtout dans les conversations officielles (comme une entrevue) ou dans un exposé (comme la lecture d'un bulletin de nouvelles). À l'écrit, il est employé dans la majorité des textes courants et dans certains textes littéraires.

Modificateur

Cette <u>fonction</u> est généralement occupée par un adverbe ou par un GPrép. Le modificateur dépend le plus souvent d'un verbe, d'un adjectif ou d'un autre adverbe dont il modifie le sens en exprimant une intensité, une manière ou une négation.

- Le **modificateur du verbe** est placé après le verbe qu'il modifie (ou entre les mots qui forment le verbe).

                    V   modif. du V   Aux.   modif. du V   Part. passé
Ex. :   *On les <u>a félicitées</u>* `très chaudement`. *On les <u>a</u>* `très chaudement` *félicitées*.

▶ REMARQUE L'adverbe *ne... pas* encadre le verbe ou l'auxiliaire, en incluant parfois un ou des pronoms compléments du verbe (ex.: *Elle ne les a pas félicitées*.). ◀

- Le **modificateur de l'adjectif ou de l'adverbe** est placé devant l'adjectif ou l'adverbe qu'il modifie.

           modif. de l'Adj   Adj

  Ex.: *Elles sont* ⌗fort⌗ *heureuses de leur performance.*

                 modif. de l'Adv   Adv

  On les a félicitées ⌗très⌗ *chaudement.*

N

Nom

Les mots de cette **classe de mots** sont généralement variables en nombre (ex.: *une idée/ des idées*), parfois en genre s'ils désignent des êtres animés (ex.: *un ami/une amie*).

Dans une phrase, le nom :

- est généralement introduit par un **déterminant** et est non supprimable ;

             Dét   Dét

  Ex.: *J'ai beaucoup d'admiration pour cette skieuse.*

- est un **donneur d'accord**.

            3S FS   FP

  Ex.: *Cette skieuse est admirable pour différentes raisons.*

P

Participe passé

Forme du verbe qui varie en genre et en nombre, mais non en personne. La terminaison du participe passé au masculin singulier est généralement *-é*, *-i*, *-u*, *-is*, *-it* ou *-us*.

- Le participe passé sert à conjuguer un verbe à un temps composé. Il est alors précédé de l'**auxiliaire** *être* ou *avoir.*

          V récompenser   V finir

  Ex.: *Le jury a récompensé ces athlètes même si les compétitions ne sont pas finies.*

- Il sert à former un verbe passif avec *être.*

              V récompenser

  Ex.: *Ces athlètes ont été récompensées par le jury.*

- Il est employé comme un **adjectif** complément du nom ou du pronom, ou attribut du sujet.

        compl. du Pron   attr. du s

  Ex.: *Disciplinées, elles semblent bien entraînées.*

Participe présent

Forme du verbe qui ne varie ni en genre, ni en nombre, ni en personne. La terminaison du participe présent est toujours -*ant*.

Ex.: *En* rentrant *chez elles, les athlètes,* criant *de joie, ont partagé leurs souvenirs excitants avec leurs proches.*

Contrairement à l'adjectif, le participe présent peut souvent être encadré par *ne… pas*.

→ *En* ₍ne₎ rentrant ₍pas₎ chez elles, les athlètes, ₍ne₎ criant ₍pas₎ de joie, ont partagé leurs souvenirs ~~ne~~ excitants ~~pas~~ avec leurs proches.*

Phrase subordonnée

Phrase syntaxique (GNs + GV + (Gcompl.P)) qui ne peut pas fonctionner seule. Elle est insérée dans une phrase plus grande appelée *phrase matrice,* généralement à l'aide d'un subordonnant. Elle dépend d'un mot de la phrase matrice ou encore du GNs et du GV de la phrase matrice.

phrase matrice

phrase subordonnée

subor-
donnant

Ex.: *La monitrice espère* que ses élèves arrivent parmi les premières.

▶ **REMARQUE** La subordonnée infinitive est insérée dans la phrase matrice sans subordonnant.
Ex.: *Ces athlètes espèrent* gagner la compétition demain. ◀

Préposition

Les mots de cette **classe de mots** sont invariables (ex.: *à, de, en, pour, sans, par, sur, avec, avant de, grâce à, vis-à-vis de, au lieu de*).

▶ **REMARQUE** Les prépositions *à* et *de* sont comprises dans les déterminants contractés qui, eux, sont variables: *à* est comprise dans *au / aux* et *de* est comprise dans *du / des.* ◀

Dans une phrase, la préposition introduit le plus souvent un GN, avec lequel elle forme un GPrép. (Elle introduit parfois un GVinf ou un GVpart.) Elle est non supprimable.

GPrép
Ex.: *Certains* | de mes amis | *rencontreront ces skieuses.*

Pronom

Les mots de cette **classe de mots** sont, dans certains cas, variables en genre et en nombre (ex.: *le mien/ la mienne/ les miens/ les miennes*) et, dans d'autres cas, non (ex.: *que, en, rien, n'importe qui*).

Dans une phrase, le pronom:

■ désigne un élément dont on a déjà parlé dans le texte (son antécédent) ou il désigne un élément de la situation de communication;

antécédent de *Elles*
Ex.: *J'ai rencontré* ces skieuses. *Elles* sont disciplinées.*

- est un <u>donneur d'accord</u>.

Ex. : *Disciplinées, elles semblent bien entraînées.*

R

Radical

Première partie du verbe qui, lorsque le verbe est conjugué à différents temps et à différentes personnes, est identique ou ressemble à la première partie de son infinitif (cette partie porte le sens du verbe).

Ex. : *finir : je finis, je finissais ; sortir : je sors, je sortais ; recevoir : je reçois, je recevais*

Receveur d'accord

Mot (déterminant, adjectif, participe passé, verbe, auxiliaires *avoir* et *être*) qui peut recevoir :

- le genre et le nombre (MS, MP, FS ou FP) d'un <u>donneur d'accord</u> ;

Ex. : *Ces skieuses professionnelles semblent disciplinées.*

- la personne et le nombre (1S, 2S, 3S, 1P, 2P ou 3P) d'un <u>donneur d'accord</u>.

Ex. : *Elles semblent disciplinées.*

S

Subordonnant

Cette **fonction** est occupée par un <u>pronom</u> relatif (ex. : *qui, que, dont*), une <u>conjonction</u> (ex. : *que, quand, pendant que*) ou encore un mot interrogatif (ex. : *pourquoi, quand, combien, comment*).

Le subordonnant est placé au début d'une <u>phrase subordonnée</u>. Il est non supprimable.

phrase subordonnée
Ex. : *Les skieuses* que j'ai rencontrées *sont disciplinées.*

phrase subordonnée   phrase subordonnée
Je les ai rencontrées avant qu'elles repartent *et je ne sais pas* quand je les reverrai .

Subordonnée *Voir Phrase subordonnée.*

Sujet

Cette **fonction** est le plus souvent occupée par un GN.

Le sujet est généralement placé au début de la phrase, avant le verbe auquel il donne sa personne et son nombre (1S, 2S, 3S, 1P, 2P ou 3P).

GNs 3P

Ex.: Ces skieuses *nous* **accorderont** *une entrevue.*

- Il est généralement remplaçable par le pronom *il, ils, elle* ou *elles.*

  → Elles *nous* **accorderont** *une entrevue.*

- Il peut généralement être encadré par *c'est… qui* (ou *ce sont… qui*).

  Ce sont   qui

  →ʌ Ces skieuses ʌ *nous* **accorderont** *une entrevue.*

  ▶ REMARQUE Encadrés ainsi, les pronoms *je, tu, il, ils* changent de forme (*je* → *moi, tu* → *toi, il* → *lui, ils* → *eux*). ◀

- Il constitue habituellement la réponse à la question *Qui est-ce **qui*** (+ GV)…? ou *Qu'est-ce **qui*** (+ GV)…?

  Ex.: *Qui est-ce **qui*** *nous accordera une entrevue?* Réponse: *Ces skieuses.*

Sujet sous-entendu

Sujet non exprimé devant un verbe à l'infinitif ou au participe présent. Il constitue la réponse à la question *Qui est-ce **qui*** (+ GV)…? ou *Qu'est-ce **qui*** (+ GV)…?

Ex.: *Pour* gagner*, les athlètes s'entraînent assidûment.*

*Qui est-ce **qui*** *gagne?* Réponse: *Les athlètes* (sujet sous-entendu).

Verbe attributif (ou *verbe d'état*)

Verbe comme *être, paraître, sembler, avoir l'air, devenir, demeurer.*

Dans une phrase, le verbe attributif:

- est remplaçable par *être* (ce remplacement ne doit pas changer complètement le sens de la phrase ou rendre la phrase incorrecte);

- a une **expansion** qui peut être remplacée par un adjectif (ex.: *beau / beaux / belle / belles*).

EXEMPLE DE VERBE ATTRIBUTIF	EXEMPLE DE VERBE NON ATTRIBUTIF
Elles <u>*semblent*</u> *très bonnes.*	*Elles* <u>*sentent*</u> *très bon.*
■ Le remplacement par *être* est possible : le sens demeure à peu près le même et la phrase reste correcte. → *Elles* <u>*sont*</u> *très bonnes.*	■ Le remplacement par *être* n'est pas possible, car le sens de la phrase se trouve complètement changé et la phrase devient incorrecte. → *Elles sont très bon.*
■ La suite du verbe est remplaçable par un adjectif seul. → *Elles* <u>*semblent*</u> *belles.*	■ La suite du verbe n'est pas remplaçable par un adjectif. → *Elles sentent belles.*

VERS UNE GRILLE DE RÉVISION PERSONNALISÉE

À l'examen d'écriture du ministère de l'Éducation que vous passerez cette année, une page sera prévue pour que vous construisiez votre propre grille de révision. Aux pages suivantes, nous vous proposons un exemple d'une grille de révision. Remplissez-la ou modifiez-la pour qu'elle vous soit le plus utile lorsque vous réviserez n'importe quel texte que vous écrirez ; cela constituera un exercice de préparation à l'examen du MÉQ.

Voici comment cette grille se présente et ce que nous vous suggérons d'y insérer.

JE MARQUE DES ÉLÉMENTS DE LA PHRASE	JE VÉRIFIE LA CONSTRUCTION DES PHRASES, L'ORTHOGRAPHE DES MOTS, LES ACCORDS ET LA PONCTUATION	JE NOTE DES RÉFÉRENCES UTILES
Pour chaque élément nommé, indiquez le marquage que vous privilégiez. Ex. : *je l'encercle, je le souligne, je le surligne, je l'encadre, je le mets entre parenthèses, entre crochets, etc.*	Cochez les éléments auxquels vous devez porter le plus d'attention et ajoutez d'autres éléments qui vous causent des difficultés, s'il y a lieu.	Notez les pages que vous consultez le plus souvent dans votre ouvrage de référence. Par exemple, la page de votre grammaire où se trouve un tableau sur le choix du pronom relatif, les pages de votre dictionnaire où se trouvent les tableaux de conjugaison.

JE MARQUE DES ÉLÉMENTS DE LA PHRASE	JE VÉRIFIE LA CONSTRUCTION DES PHRASES, L'ORTHOGRAPHE DES MOTS, LES ACCORDS ET LA PONCTUATION	JE NOTE DES RÉFÉRENCES UTILES
Les groupes constituants de la phrase ■ le GNs : _____ ■ le Gcompl. P : _____ ■ le GV : _____	Je vérifie la **construction de la phrase** : ☐ les ajouts et les déplacements liés au type interrogatif, à la forme négative et à la forme emphatique, par exemple ; ☐ la présence du Gcompl. P à l'intérieur de la phrase ; ☐ autre : _____ Je vérifie la **ponctuation** : ☐ pour détacher le Gcompl. P et la phrase incise, par exemple ; ☐ en fin de phrase.	
Le groupe du verbe ■ le verbe : _____ ■ le verbe pronominal : _____ ■ le participe passé : _____ ■ l'adjectif attribut du sujet : _____ ■ _____ ■ _____	Je vérifie la **construction du GV** : ☐ la présence des expansions obligatoires du verbe et leur construction ; ☐ la coordination et la juxtaposition des GPrép compléments indirects du verbe. Je vérifie la **ponctuation** dans le GV : ☐ la ponctuation interdite pour séparer un mot et ce qui le suit obligatoirement. Je vérifie la **conjugaison** et l'**orthographe** du verbe : ☐ le choix et l'orthographe de son radical et de sa terminaison selon son temps et son mode ; ☐ l'orthographe des verbes ou des participes passés se terminant en « é » et en « i » ; ☐ le choix de l'auxiliaire *être* ou *avoir* dans les temps composés. Je vérifie l'**accord** du verbe, du participe passé et de l'adjectif attribut du sujet : ☐ l'accord du verbe et de l'adjectif attribut du sujet avec le noyau du GNs ; ☐ l'accord du participe passé selon son emploi (ex. : part. passé avec *être*, part. passé avec *avoir*, part. passé d'un verbe pronominal) ; ☐ autre : _____	Mon dictionnaire Mon dictionnaire

Le groupe du nom

- le nom: _____
- le déterminant: _____
- l'adjectif ou le participe passé complément du nom ou du pronom: _____

Je vérifie l'**orthographe du nom**:
- □ l'orthographe du nom employé sans déterminant dans le GPrép;
- □ autre: _____

Je vérifie les **accord** dans le GN:
- □ l'accord du déterminant;
- □ l'accord de l'adjectif ou du participe passé complément du nom ou du pronom.

Je vérifie la **ponctuation** dans le GN:
- □ la ponctuation qui détache un complément du nom ou du pronom à valeur explicative.

Mon dictionnaire _____

Les phrases subordonnées

- le subordonnant: _____
- son antécédent, s'il y a lieu: _____
- la phrase subordonnée: _____

Je vérifie la **construction de la phrase subordonnée**:
- □ le choix du subordonnant, en particulier du pronom relatif;
- □ la présence de mots en trop dans la subordonnée (ex.: *que; est-ce que; est-ce qui; ce que; c'est... que, c'est... qui* encadrant le subordonnant);
- □ le mode du verbe dans la subordonnée.

Je vérifie les **accords dans la subordonnée**:
- □ l'accord du verbe quand le GNs n'est pas un GN minimal (Dét + N);
- □ l'accord du verbe, du participe passé et de l'adjectif avec le pronom relatif *qui*;
- □ l'accord du participe passé avec le pronom relatif *que*.

Je vérifie la **ponctuation** dans la phrase avec subordonnée:
- □ la ponctuation obligatoire pour détacher certaines subordonnées;
- □ la ponctuation interdite pour détacher les subordonnées non supprimables.

Mon dictionnaire _____

Les mots homophones ou les mots dont l'orthographe est particulière

Je vérifie l'orthographe de:
- □ *possible, tel, même, quelque, tout*;
- □ l'adjectif de couleur ou de forme complexe;
- □ autre: _____

Mon dictionnaire _____

NOTES

NOTES

NOTES

NOTES

NOTES